Fotobiografía de Franco

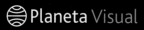

Fernando García de Cortázar **Fotobiografía de Franco**

 Planeta

© Fernando García de Cortázar, 2000

© Editorial Planeta, S. A., 2000

  Còrsega, 273-279, 08008 Barcelona (España)

Diseño de la cubierta: Silvia Antem y Helena Rosa-Trias

Ilustración de la cubierta: foto © Ramón Masats

Diseño del interior: Silvia Antem y Jordi Salvany

Ilustraciones del interior: Alfonso, Archivo de *El Correo Español*, Archivo Editorial Planeta, Arxiu històric de la ciutat (Ajuntament de Barcelona), Associated Press Photo, Rafael Bozano, Cifra Gráfica, Contreras, Cortés, Joaquín M.ª Domínguez Pont, EFE, Europa Press, Foto Fiel, Frilet/Sipa Press, Goyenechea, Hermes, Jaime, Ángel Jalón, Keystone, José Narbona, Orbis-Foto, Carlos Pérez de Rozas, Serrano

Primera edición: octubre de 2000

Depósito Legal: B. 32.240-2000

ISBN 84-08-03583-5

Impresión: Gaybán Gráfic, S. L.

Encuadernación: Argraf Encuadernación, S. L.

Printed in Spain – Impreso en España

Índice

Prólogo

La mayoría de los españoles no ha conocido el franquismo de posguerra, aquellos años de muerte y supervivencia, exiliados y afectos, cartilla de racionamiento y estraperlo. Y un alto porcentaje de la población apenas si tiene algún recuerdo directo de la larga dictadura de Franco. Afortunadamente, las jóvenes generaciones españolas sólo han vivido en democracia y no saben lo que es crecer en un país sin derechos ni libertades y con un montón de prohibiciones, resueltas a golpe de censura y policía. Pero también somos no pocos los que recordamos qué hacíamos y dónde estábamos el día en que las lágrimas de Arias Navarro salpicaron las pantallas de los televisores para comunicarnos que Franco había muerto. El 20 de noviembre de 1975 es una de esas fechas que con frecuencia asociamos todavía a los registros cotidianos de la memoria, aunque después la voluntad de no hurgar en las heridas haya obligado a pasar la página de la historia de aquellos cuarenta años de tiranía. Enterrado Franco, algunos pensaron que había que hacer un pacto de borrón y cuenta nueva y sepultar la memoria del franquismo: el recuerdo de una dictadura que puso en manos del Caudillo un poder tan grande como nunca gobernante alguno había tenido en España.

Veinticinco años más tarde, España es una nación moderna donde la democracia ha encontrado asiento firme, luego de dos siglos de avances y resistencias, de atropellos y luchas por instaurar un régimen de libertades plenas. Un país laico y bien alimentado, no lejos de la cabecera industrial del planeta, que gana en acomodo en el presente pero que pierde en capacidad de meditación y al que una herencia de desánimo le impide ponderar con objetividad el destacado lugar que ocupa hoy en el mundo. Bastó un breve tiempo para que el franquismo se disolviera en el torbellino del cambio sin que los sucesos adversos consiguieran recrear una cultura antidemocrática, que hubiera impedido la recuperación sin ira del pasado colectivo.

Al cabo de un cuarto de siglo, Franco es, como él dijera de sí, «la historia misma». Y, desde esta perspectiva, su régimen —lo recuerda Juan Pablo Fusi— no sólo no puede ser considerado un mero paréntesis en la historia de España —y mucho menos para sus damnificados— sino que, en aspectos muy diversos, compendia toda la crónica contemporánea de nuestro país. Franco y el franquismo son la autobiografía de España, la consecuencia vergonzante de su pasado y la secuela fuera de sitio de unas creencias y un ideario ampliamente compartidos entre sus habitantes.

España desconocía la sociedad de masas antes del arranque del siglo xx, de tal forma que su nacimiento asustó a los pensadores de la época. El filósofo Ortega y Gasset esperó hasta 1930 para dar su diagnóstico. Había motivos para sobresaltarse. Las multitudes campesinas que huyeron a las ciudades, los millones de emigrantes vomitados sobre el anonimato de la urbe… tenían necesidad de aliviar su desarraigo y lo van a hacer con ideología o populismo que ayudarían a echar raíces a aquellas legiones de desharrapados.

Las agitaciones sociales y las convulsiones políticas del primer tercio del siglo en España constituían toda una señal de alarma que, no obstante, muy pocos llegaron a entender. Algo mucho más profundo que una forma de gobierno o Estado se debatía en estas rivalidades. Lo que latía en el fondo de las constantes sacudidas sociales era la crisis del alumbramiento de una nueva sociedad, en la que la burguesía luchaba por imponer el modelo imperante en el resto de Europa. Frenada, sin embargo, por los mismos que, desde tiempo atrás, venían malogrando el espíritu revolucionario y asediada por la cada vez mayor pujanza del joven movimiento obrero, la cauta burguesía fue desertando de su quehacer histórico para dejar el campo libre a los credos totalitarios que hacían presa en el corazón del viejo continente. Muchos prefirieron la seguridad de las ideologías a la intemperie de los hechos, cuando en uno de los acelerones esperpénticos de la modernidad se toparon con el fascismo y sus sucedáneos que cabalgaban por Europa. Una mitología política, una estética colectiva y un presuntuoso nuevo orden, bajo el que se pretendía disimular la miseria doliente de una sociedad enfrentada a muerte y lucha de clases.

Un mercado excelente para las ambiciones del fascismo lo constituían las masas católicas. Su cómoda situación económica, su riguroso sentido del orden establecido y la incapacidad en que el magisterio eclesiástico las mantenía para entender los problemas del mundo desde una

Vencedor en la guerra civil, Franco
se veía a sí mismo como el fundador
de un orden nuevo, nacido del dolor
y la sangre de la contienda.

perspectiva no dogmática las convertía en admiradoras convictas y confesas de los Mussolini, Hitler, Dollfuss o Franco. Pero esta complicidad por abajo no era sino el reflejo de otra connivencia más alta, la de los pontífices que no reaccionaron o lo hicieron tarde y mal ante el totalitarismo de cuño capitalista, enfrascados como estaban en la persistente condena de sus tradicionales enemigos: el liberalismo y el comunismo. Ceguera que, sin embargo, no impedía ver las ventajas que podía acarrear a la Iglesia apoyarse en un sistema rígido, autoritario e intolerante que se realizaba en lo político, precisamente, a través de la represión tanto del liberalismo como del socialismo.

Sólo un grupo minoritario de intelectuales y políticos se atrevió a abordar los viejos problemas de España, a la misma hora en que el credo fascista llamaba a las puertas de las medrosas clases medias, atemorizadas ante su propia indigencia social y a las que el liberalismo había colocado en la tierra de nadie de la desmoralización económica y nacional. Aquellos ilusos intentaron el sueño republicano de 1931. Lo que otras naciones europeas habían tardado largos años en conseguir, los republicanos españoles acariciaban alcanzarlo en poco tiempo. Cambiar el rumbo de la Historia y, desde la plataforma del Estado, construir una sociedad democrática y moderna. Como un compendio de la actitud de su generación ante Espa-

ña, el pensamiento de Manuel Azaña, erigido, mientras gobernó, en el gran símbolo del espíritu republicano español, ahonda en la decadencia nacional, sin compartir el trágico pesimismo de los hombres del 98. El pasado debía olvidarse para levantar un país en el que la razón ocupara el lugar de la tradición. «Rectificar lo tradicional por lo racional» fue su lema. Ni la impaciencia de las masas, ni la miopía de los representantes del viejo orden, deseosos de recuperar su tranquilidad, habrían de permitírselo. El experimento republicano degeneró en una guerra civil especialmente vengativa que, a modo de desgraciado ensayo del desastre mundial de los años cuarenta, proyectó internacionalmente la triste imagen de dos Españas enfrentadas. Fue un terrible precedente del descenso de la humanidad hacia la barbarie, de la demonización del adversario para justificar su aniquilamiento. Las matanzas de Badajoz o Paracuellos exhibieron impúdicamente la capacidad de inhumanidad que los humanos guardan para los otros.

Vencedor en la guerra civil, Franco se veía a sí mismo como el fundador de un orden nuevo, nacido del dolor y la sangre de la contienda y destinado a ser el instrumento de la regeneración de España. Quizá sin él saberlo recogía una tradición muy hispana de pesimismo histórico que arrancaba de las primeras derrotas de los tercios españoles en Rocroi y Las Dunas y chapoteaba luego en la desolación del Desastre de 1898. En la Academia Militar de Toledo, Franco y sus compañeros interiorizaron el declive del siglo XVII con tal sentimiento de fracaso, de abandono, de desesperante pérdida de autoridad en el ámbito internacional que los empujará a soñar para España nuevos horizontes y proyectos. Bajo su costra retórica, el régimen franquista se presentaba como una monumental empresa de rectificación histórica, para la que había que remontarse al nacimiento del Estado moderno.

En las antípodas de la construcción republicana, la «verdadera España» sólo podía encontrarse en el espíritu de la Contrarreforma y en la Castilla medieval, coronada con el reinado de los Reyes Católicos, cuya popularidad en los años del franquismo supera la de los grandes monarcas del Imperio. Si la simbología del matrimonio real había encendido las antorchas de los caudillos de la unificación nacional en el siglo XIX, el franquismo hará de los cónyuges los grandes arquitectos de la construcción española, a pesar del sentido patrimonial de sus coronas. «La monarquía de los Reyes Católicos —escribía Franco metido a historiador— fue una monarquía revolucionaria, totalitaria, en el más puro sentido de esta palabra; lo demuestra cuando a los inveterados excesos de los grandes señores crea y opone la Santa Hermandad, que asegura a los viajeros y al comercio contra sus expoliadores, echando los cimientos de la moderna fuerza de orden público; al recabar y asumir el supremo poder de las órdenes militares, nervio de los ejércitos de aquellos tiempos; al limitar jurisdicciones y reforzar poderes, recabando una mayor y más eficaz intervención en los nombramientos de la Iglesia; al imponer la Fe de Cristo a todos los españoles, expulsando de nuestras tierras a judíos y moriscos, y unirlos a todos en la gloria y el sacrificio.»

La preocupación obsesiva del franquismo por el pasado nacional perdura hasta los días terminales del régimen, cuando las razones de bienestar y progreso económico, por el contrario, pesaban más que nunca. Interesaba al régimen sostener hasta el final su propio sentido de la historia, obra de hombres providenciales, de verdaderos caudillos, cuyas hazañas, desde Viriato hasta Franco, enaltecían la gran crónica nacional. «No hay sacrificio estéril, del nuestro de hoy saldrán las glorias del mañana»; las palabras del almirante Cervera cuando navega hacia el desastre cubano son interpretadas por Franco en su novela *Raza* como una profecía de la llegada de su gobierno salvador, el brazo poderoso que haría desandar el camino fatal de la Historia. Gracias a él, España había vengado su derrota antillana. El ideario de José Antonio Primo de Rivera y todo el pensamiento tradicionalista heredado del siglo XIX tam-

Nunca fue el Caudillo un falangista convencido, pero la Falange le sería de enorme utilidad.

bién sirvieron al franquismo para rescatar un conglomerado de regeneracionismo y providencialismo históricos que asignaba a España nada menos que la responsabilidad universal de proteger los valores cristianos de Occidente. Hasta las muertes ilustres dentro de su propio bando son para Franco muertes providenciales.

Pero la Historia, asimismo, prestó a Franco su capacidad enjuiciadora para hacer al liberalismo responsable de todos los males de España. Era urgente —y así se transmitió a la escuela— borrar el nefasto siglo XIX y recuperar los aires tradicionales del Imperio, con su caudillismo, las cortes estamentales o los gremios profesionales. La patología obsesiva del dictador con los comunistas y masones no era sino la manifestación de un sentimiento más hondo de repugnancia al Estado liberal contra el que se había levantado en 1936. Judíos, masones, comunistas y liberales, los enemigos de siempre, convergen en las fobias de Franco, que distribuye sus responsabilidades como le viene en gana. Son utilizados, sin embargo, en el momento oportuno para retratar la conjura eterna contra España, que es la forma poética con que el dictador solía referirse a los movimientos de la oposición.

La aversión de Franco al liberalismo explica el desprecio del régimen a la democracia, a la que continuamente escarnece por ineficaz y estéril y a la que atribuye iniciativas tan insensatas como la de salvar la vida de Barrabás, un delincuente confeso, en lugar de la de Cristo. Estaba claro en el pensamiento del Caudillo que los jefes no se equivocan al interpretar lo que conviene a sus súbditos; el error nacía de la mera suma de opiniones no cualificadas que constituían el denostado sufragio universal. Acorde con su talante antiliberal, el franquismo rechazó el sistema de partidos y estableció sólo uno, Falange, aunque de afiliación no obligatoria más que para sus funcionarios. Nunca fue el Caudillo un falangista convencido, pero la Falange le sería de enorme utilidad. El Movimiento constituyó el único canal legal de comunicación entre la sociedad y el Estado, pero el partido nunca se apoderó del Estado, antes al contrario, fue el jefe de éste el que se adueñó de aquél.

Sin la vigilancia de José Antonio Primo de Rivera, el gran Ausente, Franco pudo manejar a su gusto el legado azul y disponer de servidores sumisos que lo vitoreaban en sus viajes por las tierras de España y le suministraban la lírica de su programa de reforma social. Por medio de Falange, el franquismo promovió la incorporación pasiva de las masas, a las que convocó en contadas ocasiones —un par de referéndums y unas pocas manifestaciones gigantescas— con el objeto de mostrar su adhesión al régimen, sobre todo ante la opinión internacional. Cuando le pareció bien, el franquismo prescindió de esta ornamentación y se jactó entonces de ser un Estado meritocrático con igualdad de oportunidades y sin clientelas políticas ni favoritismos. Para cambiar el alma de los pueblos se necesita un poeta y esta función la cumplió, unos pocos años, José Antonio muerto. Derrotados los fascismos en la segunda guerra mundial, la revolución pendiente de los camisas azules nunca tendría su oportunidad. Calentaron sillones ministeriales durante todo el franquismo pero, salvo en momentos de excepción, no tuvieron influencia alguna en la marcha del régimen.

Para Franco, la forma más perfecta de representación política es la democracia orgánica, con la que el régimen se autodefinía. De ella fanfarroneaba hasta extremos grotescos, afirmando sin sonrojo que era «incomparablemente más democrática en esencia y práctica que los otros sistemas que en el mundo se llevan». El engendro democrático del franquismo tenía su fundamento utópico en la negación del conflicto y consistía en sustituir al individuo por las llamadas unidades orgánicas de la sociedad —familia, sindicato, municipio—, que constituían la representación política mediante la designación a dedo dictatorial y la elección indirecta de los candidatos.

Como otros militares endurecidos en las campañas de África, Franco sentía un gran desprecio por los políticos profesionales, a los que responsabilizaba de la decadencia de España. Y aunque parezca paradójico en un hombre que gobernó a lo largo de casi cuarenta años, podía ser hasta sincero cuando confesaba no sentirse político. Los oficiales de Marruecos formaban un grupo muy unido y cohesionado, carente de preocupaciones ideológicas, donde fermentaría un encendido sentimiento nacionalista que consideraba el ejército la reencarnación de la patria y el mejor instrumento de regeneración nacional. Sintiéndose acosados por los civiles que no les agradecían sus sacrificios en la colonia, los militares recelaban del sistema parlamentario mientras crecía su hostilidad hacia los obreros y las reivindicaciones de los nacionalismos de la periferia. Desde comienzos del siglo XX abundaban entre los oficiales los nacidos en Castillla y Andalucía, comenzando a escasear las vocaciones a la milicia entre catalanes y vascos, que siempre habían tenido nutrida representación en el ejército.

Los catorce años de guerra africana modifican por muchos años la fisonomía del militar español, al restringir su horizonte mental al patriotismo arrebatado, la disciplina cuartelera de ordeno y mando, los métodos expeditivos y el escarnio de la democracia. Con el ejército como columna vertebral, levantó el vuelo un aparatoso nacionalismo español, en el que se atrincheran el tradicionalismo eclesiástico, la burocracia madrileña, los latifun-

El Estado y la Iglesia participarán en la afirmación del nacionalcatolicismo, una ideología que consideraba consustancial al ser español la fe católica.

dios andaluces y la gran burguesía vizcaína, sobresaltada por la fogosidad de los proletarios y la catequesis del nacionalismo vasco.

Si todo movimiento autoritario es centralizador, tanto los militares vencedores como Falange tenían una acusada sensibilidad centralista por cuanto la República contra la que se alzaron había accedido a las exigencias autonomistas de catalanes y vascos. De ahí que el nacionalismo español vino a constituir parte esencial del ideario del régimen franquista y fue utilizado como fórmula popular de movilización durante los años del aislamiento internacional. El franquismo eliminó del concepto de nación el sentido romántico de comunidad para sustituirlo por el falangista de unidad histórica a la que se atribuye una unidad de destino. Los discursos más nacionalistas del régimen se podían escuchar en los reductos controlados por Falange, sobre todo en el sindicalismo oficial y, desde luego, en el partido o el Frente de Juventudes, donde se seguía alentando la idea histórica de la grandeza de España, enfrentada a sus enemigos tradicionales: Gran Bretaña, Francia y los Estados Unidos. Pero el nacionalismo español sólo fue esgrimido después de 1953 contra los nacionalistas catalanes y vascos y no contra otras potencias, a las que no convenía indisponer con objeto de remozar la presencia de España en el orden internacional. La idea de unidad era

empleada para referirse a la pretendida armonía natural existente en el proceso de producción y con mayor reincidencia para proclamar la trabazón fraternal entre los hombres y las tierras de España y desautorizar a quienes mantenían reivindicaciones separatistas.

Como una variante del nacionalismo español, pero la de mayor arraigo y resistencia, el Estado y la Iglesia participarán en la afirmación del nacionalcatolicismo, una ideología que consideraba consustancial al ser español la fe católica. Por su sencillez intelectual, la teoría nacionalcatólica les resultaba fácilmente comprensible a las masas y, así, se convirtió en el mejor mecanismo de integración de las derechas en el régimen. Ni Franco ni sus ideólogos inventaron nada en esta materia: su nacionalismo no fue más que una reedición del elaborado por los moderados y conservadores del XIX con su iluminación católica de la nación española. En ambos casos se trata de un nacionalismo retrospectivo, historicista, ajeno por completo a cualquier proyecto compartido, donde radica, precisamente, la verdadera sustancia de la nación. A falta de un ideal de movilización laico y democrático, el dictador aprovechó las ventajas de un nacionalismo que no ponía en peligro su control del poder, conectaba con el pueblo sencillo y lo legitimaba religiosamente como «Caudillo de España por la gracia de Dios». De esta forma se producía una recuperación de la teoría vigente en el Antiguo Régimen, según la cual, el rey era depositario del mandato celestial de gobernar.

El nacionalcatolicismo no nació en la guerra civil sino que se utilizó para explicarla y para unificar el conjunto de fuerzas sociales y políticas alrededor de Franco. La nación y el nacionalismo que despuntan en 1936 no se entienden sin el acontecimiento clave de la guerra, a la que se atribuye una función taumatúrgica, la de reencontrar una supuesta esencia nacional, «eliminando por entero la costra de la modernidad». Con su sentido de purificación religiosa y nacional, la represión ejercida por el régimen se dirigió a acabar con las «fuerzas de disgregación» que se habían adueñado de España durante los años de la República.

España se encuentra en pleno despertar religioso en 1938 cuando Ciano, ministro de Mussolini, observaba, alarmado, que el régimen estaba levantando iglesias en vez de reconstruir sus vías ferroviarias. Una nueva alianza del altar y el trono asomaba entre las ruinas de la guerra mientras a golpe de fervor y contrición la Iglesia se volcaba en un reparto masivo de sacramentos, buscando el acoso interno y el desbordamiento externo, y Franco se ajetreaba con el objeto de tener en su mano el nombramiento de obispos. A imitación de las concentraciones obreras o los desfiles de masas del fascismo, la Iglesia fue sellando su compromiso con el franquismo entre grandilocuentes ceremonias de consagración de España a Cristo Rey, con las que se pretendía contrarrestar los efectos del laicismo en la sociedad de posguerra.

En el marco de esta inflación religiosa se hizo norma que las autoridades civiles y militares, Franco el primero, practicasen los Ejercicios Espirituales, según el modelo que desarrolló Ignacio de Loyola en el siglo de la Contrarreforma, siendo los jesuitas los encargados frecuentemente de dirigir las meditaciones del Caudillo, que en 1944 probó con Escrivá de Balaguer, el fundador del Opus Dei. Culpables o no sus ejercitadores, Franco fue hasta el final de sus días una persona de religiosidad elemental y poco cultivada, que nunca entendería el proceso de renovación inaugurado por la Iglesia con el Concilio Vaticano II ni mucho menos sus consecuencias sociopolíticas extraídas en relación con su régimen. Al llegar los momentos duros de enfrentamiento Iglesia-Estado, cuando en España había más clérigos presos que en todas las cárceles europeas, incluidas las de los países comunistas, Franco tuvo el olfato suficiente para darse cuenta de que la dictadura se había metido en un camino peligroso. «No se puede actuar como lo hace Camilo», llegó a decir el dictador refiriéndose a los encarcelamientos de los eclesiásticos contestatarios,

Militar siempre en campaña,
Franco tuvo España acantonada para
organizar así la vida de sus habitantes
al modo cuartelero.

ordenados por el ministro de Gobernación. «La carne de los curas es indigesta», argumentó, probablemente sin conocimiento experimental, el pragmático jefe del Estado.

Sin que nadie las moleste, las congregaciones religiosas disfrutarán hasta los años sesenta del monopolio educativo de los jóvenes no universitarios, gracias a una extensa red de colegios y a una apuesta entusiasta por la labor educativa. Pura paradoja, la exclusiva docente de la Iglesia, con la que no pudo el laicismo de la Segunda República, se desmorona a impulsos del desarrollo económico promovido por los piadosos tecnócratas del Opus Dei. Y se sanciona el fracaso de un modelo de enseñanza autoritario y castrante, del que las generaciones de posguerra tuvieron que liberarse en la calle y por sus propios medios. El rechazo de las doctrinas pedagógicas procedentes del extranjero, calificadas por la propaganda oficial de «hipócritas, extrañas, exóticas y despóticas», la desconfianza ante la libertad de pensamiento y la ciencia, la percepción negativa y neurótica de la sexualidad, el sometimiento de la mujer al varón, la necesidad de las clases sociales o la exaltación de la obediencia y la disciplina constituían los fundamentos de la educación católica.

Militar siempre en campaña, Franco tuvo España acantonada para organizar así la vida de sus habitantes al modo cuartelero, en el que las decisiones se transmiten no con argumentos de razón sino de autoridad y jerarquía. Su admiración por tales métodos se correspondía con el desprecio que profesaba a los intelectuales, sobre los que centró el simplismo defensivo de sus reproches y la hiel de su incultura inconmensurable. «Con la soberbia característica de los intelectuales…» era una frase hecha, un vulgar latiguillo que el dictador colocaba en cualquiera de sus discursos con los que pretendía mirar de arriba abajo a la oposición ilustrada. El talante antiintelectual del Caudillo aparece ya en las primeras páginas de su currículum, cuando siendo director de la Academia Militar de Zaragoza suprime los libros de texto para sustituirlos por reglamentos oficiales y apuntes, felicitándose, además, su biógrafo oficial de tal innovación pedagógica.

Por mucho que el dictador prefiriese los militares a los políticos, no hizo nada para que sus sueldos alcanzasen siquiera el nivel más bajo de los salarios de otros profesionales. Tampoco fue el Ejército, en cuanto institución, la columna vertebral del franquismo, sino la burocracia policial y gubernativa militarizada, con la alta oficialidad al frente del aparato del Estado. A los generales se les encomendaron innumerables gobiernos civiles y la responsabilidad del orden público, siendo fijos en los gabinetes de Franco hasta sumar cuarenta ministros de entre los ciento catorce de toda la dictadura.

Los huelguistas, los poco entusiastas del régimen, todos los que se movieran en España podían ser acusados de rebelión militar y juzgados por tribunales formados por oficiales. Cualquier problema, regional, político o laboral, era traducido en términos y soluciones marciales, y en aquellas mentes rudimentarias de los soldados nunca dejó de funcionar el primitivo método de «palo y tente tieso». A pesar de esta militarización del orden, Franco apenas si tuvo que recurrir al Ejército, como había hecho la República, para poner disciplina en la calle: le bastó con la Policía nacional y la Guardia Civil, cuyo exagerado número de agentes confirió a España la condición de país más fichado de la Europa no comunista.

Muy penoso les resultó a los españoles el estado de indefensión e inseguridad jurídica al que los sometió el franquismo durante toda su existencia, a pesar de algunas falsas garantías contenidas en sus siete Leyes Fundamentales. Todos aquellos principios que suelen considerarse constitutivos de un Estado democrático, como separación de poderes o vida judicial normalizada, fueron desdeñados por el tinglado legal del franquismo. En su lugar existió un rígido control del ejecutivo sobre el legislativo y de Franco sobre ambos y, a su vez, todo el andamiaje judicial se hizo depender de los ministerios. La existencia misma de tribunales de excepción, esto es, las jurisdicciones especiales, conculcaba el principio de igualdad ante la ley y constituía la más rotunda negación del Estado de derecho. Si con la incorporación al gobierno, en los años cincuenta, de profesionales del derecho comienza a aclararse la administración civil del Estado, no ocurre lo mismo en la esfera del orden público, que sigue a merced de la arbitrariedad y del abuso de poder.

Un elemento que nunca abandonará al franquismo fue su carácter de administrador de una victoria militar. La apelación a la guerra ganada, como razón última del gobierno, se empleará machaconamente hasta 1964, año en el que el régimen conmemora su vigésimo quinto aniversario. Desde esa fecha y sin olvidar jamás los méritos de la guerra, el discurso de la victoria es sustituido por el de la paz, pavoneándose el franquismo de ser su mejor garantía y disgustándole las invocaciones a su historial militar. Franco deserta del uniforme militar para mostrarse paternalmente civil en los televisores. Quizá por ello, el dictador se lamentaba en 1966 de la injusticia que con él se cometía al no ser propuesto para el Premio Nobel de la Paz. «Dado el ambiente que hay en las naciones escandinavas en contra del régimen español, es seguro que nadie ha pensado en mí para el Premio Nobel de la Paz», comentaría con aplomo y desvergüenza a su primo Pacón.

A un Caudillo que no ha sido elegido
sino aclamado no se le piden
explicaciones, sólo consignas.
«Franco manda y España obedece.»

Convertida España en un cuartel, la exaltación de la fuerza física, el ardor guerrero y el activismo varonil fomentó las peores desviaciones del machismo nacional, que adquiere naturaleza reglamentaria al otorgar las leyes superioridad civil al varón respecto de la mujer. Lo que no se debía hacer nunca era «poner a las mujeres en competencia con los hombres porque jamás llegarán a igualarlos y en cambio pierden toda la elegancia y toda la gracia indispensable para la convivencia», recomendaba la poco feminista Pilar Primo de Rivera, delegada nacional y vitalicia de la Sección Femenina de Falange. El marido es el que gestiona los bienes gananciales del matrimonio, mientras que la esposa debe pedirle su autorización para suscribir contratos o contraer responsabilidades financieras. A las mujeres se las confinaba en la alcoba y la cocina con la misión patriótica de reproducir la raza y mantener las virtudes de la familia. Tal y como enseñaba la Sección Femenina, el matrimonio era el definitivo destino de las mujeres, siendo considerada la soltería una fase transitoria y poco relevante de sus vidas. Soltera hasta de hábito y fisonomía, Pilar Primo de Rivera daba un pésimo ejemplo en este terreno.

Como cualquier sistema autoritario, el régimen del 18 de julio se comunicaba con sus súbditos mediante el recurso a la frase publicitaria o la píldora política, llamada consigna en la jerga falangista. Las consignas eran reducciones lingüísticas repetidas hasta el vaciado total que resumían el pensamiento oficial y sentaban las creencias indiscutibles, las ideas fuerza del franquismo. Piruetas doctrinales insostenibles y continuamente ridiculizadas por la realidad pero eficaces como coartadas para justificar el franquismo entre mentalidades simples. A un Caudillo que no ha sido elegido sino aclamado no se le piden explicaciones, sólo consignas. «Franco manda y España obedece», sentenciaba una de ellas, que empujaba a los españoles a alinearse en las filas del régimen vestidos —así lo pedía el himno falangista— con la camisa nueva. «España, una, grande, y libre» fue otro sonsonete con el que se quería acallar cualquier aspiración «rojo-separatista», y la música de fondo del nacionalismo del régimen. Cada enemigo actual o potencial tenía su anatema, sobresaliendo aquellos que intentaban retratar las insidiosas conspiraciones que amenazaban España o las que pretendían convencer a los españoles del origen extranjero de la lucha de clases. También la providencial aparición del Caudillo en la historia de España y su ascenso irresistible a la categoría de primer vencedor mundial del comunismo, junto con la definición de España como reserva espiritual de Occidente, fueron materia de consigna.

Contra el capitalismo y el comunismo, el régimen de Franco propondrá en el plano doctrinal una tercera vía: el nacionalsindicalismo, cuya formulación no pasará de la retórica de algunas leyes y discursos. En la práctica, el franquismo fue capitalista, si bien su ideario socioeconómico constituía un amasijo de los principios liberales sobre la propiedad y los controles sindicales, laborales y políticos propios del fascismo. Al contrario de otras dictaduras, la de Franco no se preocupó de institucionalizarse hasta tarde. El Caudillo, que siempre tuvo todos los poderes en la mano y los limitó cuando y como quiso, se opuso frontalmente a una Constitución que recordase, aunque sólo fuera por el nombre, el liberalismo vilipendiado. Además, por pura estrategia retrasó el despegue institucional de la dictadura para darse tiempo de resolver sus problemas y poner nerviosos a sus opositores. Cuando se decidió a institucionalizar su dictadura personal fue en respuesta a acontecimientos internacionales y a presiones de quienes en España pretendían asegurarse la perpetuación del franquismo. Todo ello obligó a Franco a dictar un conjunto de ordenanzas complejas y en ocasiones contradictorias, llamadas pomposamente Leyes Fundamentales, cuyo nacimiento dependía de las necesidades políticas y del calendario del régimen.

En la primavera de 1938, con un tempranero Fuero del Trabajo, Franco reglamentó su modelo socioeconómico mediante el desarrollo de un sindicalismo único y obligatorio, que para los obreros era muro de contención y para los empresarios burocracia inservible. Fue la primera derrota de Falange, después de su forzada unificación con los carlistas, a pesar de que el engendro sindical escudriñó sus raíces en el imposible intento de recuperar la nostalgia artesanal presente en el pensamiento de José Antonio Primo de Rivera, su fundador. Los grupos tradicionalistas y monárquicos que representaban intereses agrarios, industriales y financieros, al final se salieron con la suya. Triunfó el modelo económico capitalista sin los «defectos» del sistema liberal, esto es, con las libertades sindicales prohibidas. Rechazando de plano la lucha de clases se obligaba a permanecer en una armonía productiva, en la que los empresarios eran patronos y los obreros productores. Esta supuesta hermandad laboral había sido amarrada, por si acaso, con prohibiciones extremas —la huelga tuvo tratamiento de delito contra la patria— o con el recambio del orden público y laboral, impuesto cuando vino el caso con las porras o el fuego de las armas.

La economía política del Fuero del Trabajo facilitó buenos beneficios a la burguesía zozobrante de los años republicanos, que obtuvo pronto los primeros dividendos de

> Franco tuvo la satisfacción de recibir el espaldarazo de los grandes del planeta y las bendiciones concordatarias del Vaticano.

su victoria militar. A la vista de sus balances empresariales, no había duda de que la nueva clase social, satisfecha y afranquistada pero no necesariamente fascista, estaba dispuesta a mantener de manera indefinida al vecino de El Pardo. En medio de una mayoría social necesitada, la burguesía no desaprovechó la ocasión de enriquecerse que le ofrecían los salarios constreñidos, los aranceles autárquicos y la especulación liberada. Había hambre y desnudez en las calles proletarias, pero los ricos de siempre, los estraperlistas nuevos y las fortunas hechas a partir de cero paseaban su agradecimiento al régimen en automóviles de importación, nada autárquicos, y vestían costosa ropa adquirida en el extranjero, sin la más mínima concesión a ninguna clase de solidaridad. La bofetada social fue una lacerante realidad durante mucho tiempo, hasta el punto de provocar la alarma entre algunas individualidades del régimen y unos pocos cristianos libres.

Sin dejar de reprimir las libertades democráticas, negando los derechos sindicales, unificando la fe y el rito, encarcelando a políticos e intelectuales, liquidando disidentes de todos los colores, Franco, no obstante, tuvo la satisfacción de recibir el espaldarazo de los grandes del planeta y las bendiciones concordatarias del Vaticano, que lo consagraban como aliado bajo palio y le concedían el derecho a vetar obispos a cambio del monopolio religioso y el control moral. Con su vecino portugués, era el último vestigio fascista y autoritario que quedaba en el mundo occidental tras el triunfo de las democracias sobre Hitler y Mussolini. La guerra fría le salvó a Franco, ya que en su lucha contra el oso soviético, Estados Unidos entendió que el Caudillo era un buen aliado, a la vista de su historial de cruzadas anticomunistas y su interés en fichar por el capitalismo desnudo, sin las estridencias de Falange.

Gracias a su alianza con las clases poderosas, una vez obtenido a medias el refrendo internacional, el franquismo pudo maniobrar al pairo y encontrarse, aunque tarde, con las ondas bienhechoras del desarrollo europeo. Los años sesenta conocieron un progreso material sin precedentes, con la definitiva industrialización de España, el aumento del poder adquisitivo de los obreros y el despliegue de una clase media consumidora y urbana. Todo un cambio hondo y prolongado que dada la raíz religiosa del país fue considerado el gran «milagro español». Al campo, la pleamar le llegó más recortada. Es verdad que los tractores fueron reemplazando como sin querer a las mulas faeneras y que el oficio de herrador se convirtió en anacrónico. Pero a pesar de las mejoras en regadíos y maquinaria, los empresarios, testarudos, mantenían su resistencia a invertir en el campo, donde los pueblos morían, los cultivos se agrietaban de soledad y las llanuras aparecían desolladas. La Historia también se empecinaba en no curar la dolencia crónica de España, la de los montes pelados y calvarios, la de la tierra del agua seca que Blas de Otero lloraba. Sin esperar más, varios millones de campesinos hicieron sus maletas y corrieron, lejos del sur, al encuentro de la España industrial o la Europa de la promesa.

Por esos mismos años, el franquismo descubrió el filón del turismo, el fenómeno social y económico de repercusiones más favorables en el conjunto español, y la España cateta y puritana se dio de bruces con la modernidad y el sexo, quedando deslumbrada con unas costumbres y unas modas desconocidas en la sacristía del régimen. La nación regentada por Franco había madurado y descubierto que no necesitaba la ayuda de ningún salvador para pensar por sí misma. No pudo, sin embargo, con la obstinación física del dictador, al que sólo rindieron sus achaques y no las maquinaciones de sus opositores. Franco se sostuvo tanto tiempo en el poder porque vivió solamente para el poder y nunca descuidó la guardia ante aquellos que pretendían discutírselo o arrebatárselo. Contra todos ellos ejerció sin miramiento sus dotes de hombre frío y cruel. Cuentan que el general Narváez, en la hora de su muerte, fue preguntado por su confesor si perdonaba a sus enemigos, a lo que el jefe de gobierno de Isabel II contestó: «No tengo enemigos, los he matado a todos.» A Franco le sobrevivieron muchos de sus adversarios, pero también dejó un buen reguero de cadáveres, y las ejecuciones acompañaron al régimen hasta los momentos finales de su fundador.

No hay duda de que la represión y el ejercicio diario de la propaganda por todos los medios, hasta los más pintorescos, contribuyeron a la longevidad del franquismo. Pero sin la existencia de importantes pivotes institucionales y populares, difícilmente el dictador hubiera podido sobrevivir a las presiones exteriores, la oposición política por desorientada que estuviera, las sacudidas estudiantiles o las protestas regionales y obreras. Franco tuvo muchísimos más apoyos sociales que los atribuidos por sus oponentes, que se pasaron toda la vida del régimen prediciendo su caída y asignándole fecha de caducidad. En la España aislada de 1946, el gran debate europeo sobre las responsabilidades criminales del fascismo llega de forma muy amortiguada y siempre controlada con el objeto de evitar que los españoles sacasen sus propias conclusiones respecto del régimen. Muchos de éstos nunca asociaron la Falange con los fascismos derrotados, sino que veían en ella tan sólo una derecha rancia y retórica y en el franquismo un régimen autoritario y católico que se apoyaba en la Iglesia y que era una garantía de que la guerra civil no se repitiera. Con la que no pudo contar Franco fue con la adhe-

Nada pudo ayudar más a la ancianidad
del régimen que la falta de conciencia
política y la frustración cultural
en que la dictadura trató de mantener
a los españoles.

sión activa de las minorías mejor preparadas intelectualmente. Si la cultura falangista no logró sobrevivir a la derrota de los fascismos en la guerra mundial, tampoco la cultura católica resistió el empuje de la secularización de los sesenta ni la crisis y desbandada de la Iglesia tras el Vaticano II. Años antes de la muerte del dictador, su régimen ya había perdido la batalla de las ideas.

El Estado franquista, aparte de sus tres puntales fundamentales, Iglesia, Ejército y Falange, se sintió respaldado por los grupos que habían secundado la sublevación militar: terratenientes, empresarios industriales, financieros, pequeñas burguesías provincianas o el campesinado católico del norte y centro del país. De otro lado, los apoyos de los primeros momentos se incrementarán progresivamente a causa del oportunismo que avivan los regímenes duraderos y la tenacidad de los gobiernos de Franco en el aumento de su clientela. La acomodación voluntaria al franquismo recibió un notable impulso en los años sesenta gracias a la relativa prosperidad que gozó España, cuyas pequeñas burguesías enriquecidas por el proteccionismo oficial de la industria y las agradecidas clases medias transigieron con las restricciones políticas a cambio del mantenimiento de su nivel de bienestar. A su vez, una nueva clase trabajadora identificó su progreso con la preocupación económica del franquismo; eran los obreros apolíticos, a los que en el lenguaje de la oposición se llamaba «estómagos agradecidos». No le faltó tampoco a Franco el apoyo por acción u omisión de no pocos nacionalistas vascos y catalanes que a medida que se recuperaban económicamente comprobaban que la paz social garantizada por el franquismo y la legislación favorable a los patronos contribuía de forma decidida a una riqueza que no tenían que justificar ante ningún sindicato.

Nada, sin embargo, pudo ayudar más a la ancianidad del régimen que la falta de conciencia política y la frustración cultural en que la dictadura trató de mantener a los españoles. Mediante un control absoluto de los mecanismos de propaganda y educación, sólo relajado en los últimos años del período, el franquismo se aseguró la obediencia pasiva de sus súbditos, una mayoría silenciosa, o mejor, una mayoría ausente, a la que se adiestró en el rechazo de la política y a la que se orientó hacia la adormidera radiofónica o televisiva y la fijación en objetos superficiales, de corte deportivo o folclórico, siempre inocuos para el poder. Desde su propia pirámide en el Valle de los Caídos, al que algún malintencionado encontró similitudes con el Metro de Moscú, Franco se habrá dado cuenta, pasados veinticinco años, de que «podrán cortar todas las flores pero no podrán detener la primavera», como había escrito un poeta comunista.

El desembarco de África (1892-1939)

Pasada la medianoche del 4 de diciembre de 1892, Francisco Franco Bahamonde llegaba al mundo en El Ferrol, una pequeña ciudad coruñesa de no más de 20000 habitantes, situada al final de una ría profunda. Lejanos los años de grandeza militar y fiebre naval, conservaba la ciudad algún vestigio de su antiguo esplendor que le confería un encanto singular, hijo de su propia decadencia. Las casas ferrolanas se parecen a las de cualquier otra capital gallega por sus galerías pintadas de blanco, sus miradores de cortina y cristal, que facilitan a sus usuarios la posibilidad de ver sin ser vistos. Más de un ensayista se ha aventurado a decir que esas viviendas de balconadas misteriosas son la mejor metáfora del arquetipo del gallego, mezcla de discreción y desconfianza. En sus fogones se cuece la retranca, otra virtud del finisterre peninsular que el diccionario define como intención disimulada u oculta. Una segunda o tercera intención que los españoles creen percibir, entre visillos, en los discursos y razonamientos de los gallegos.

En una de esas casas de desconfiados miradores nació Francisco Paulino Hermenegildo Teódulo Franco, fruto del matrimonio de Nicolás Franco Salgado-Araujo, que al final de su vida era intendente general de marina, y Pilar Bahamonde Pardo de Andrade. Familia de clase media de las muchas que pueblan Galicia y viven sin excesos de una renta, un comercio o una paga de funcionario. La manía hispana de varear árboles genealógicos para sacar a la luz abuelos judíos ha empujado a alguno a diseccionar el apellido Franco, buscando orígenes semitas. Hasta el obseso de Hitler ordenó, sin resultados, investigar el asunto. Metidos en genealogías, la concesión del título de gentilhombre, en el siglo XVIII, a uno de sus antepasados garantiza la suficiente limpieza de sangre de Franco como para poder presumir de raza hispánica.

La conducta disoluta de su padre suscitó en Franco variados pensamientos, algunos de los cuales se pueden rastrear en su obsesión con la masonería.

La familia de Franco es, desde un par de siglos atrás y con total perseverancia, familia de marinos. A unos les tocó navegar, a otros llevar las cuentas de la Armada. Pero todos ellos componían una casta cerrada de oficiales de marina obligados a preservar su rango social de uniforme y entorchado con un salario menguante. Mantener el prestigio cuando el dinero escasea fue mérito de Pilar Bahamonde, la madre del futuro Generalísimo, una mujer recia con un pasado familiar de aristocracia venida a menos. Su marido, un calavera provinciano, dejó de interesarse por ella poco después del nacimiento en 1898 de su quinto hijo, una niña, muerta a los cinco años, y cada vez se encontraba más a gusto fuera del hogar. Algunas aventuras íntimas de Nicolás Franco eran materia de cotilleo de mirador, desde donde la buena sociedad ferrolana apuntaba las noches que se retiraba tarde y entonado a su domicilio. Un día de 1907 este vividor desarraigado pedirá un traslado a Madrid y no volverá nunca a casa. Allí vivirá con una maestra de escuela, convertida en ama de llaves por el recato familiar, desapareciendo absolutamente de la biografía oficial del Caudillo hasta el día de su muerte en 1942. Buenos conocedores de sus aficiones de cabaret y tasca, sus vecinos capitalinos se referían a él con el sobrenombre poco respetable para un almirante de «el chulo de la Bombilla», el popular barrio madrileño centro de sus farras. Sin

duda, la conducta disoluta de su padre suscitó en Franco variados pensamientos, algunos de los cuales se pueden rastrear en su obsesión con la masonería, a la que llegó a culpabilizar de los casos de infidelidad conyugal que se repetían en España.

De los tres hermanos de Francisco Franco que sobrevivieron, Nicolás, el mayor, era el mejor retrato de su padre. Despreocupado y perezoso, consiguió, sin embargo, prolongar la tradición marinera de su familia y obtener un título de ingeniero naval. Su hermana Pilar, educada entre varones, desarrollará un carácter firme y decidido que, transcurridos los años y viuda, le facilitaría una gran desenvoltura en el mundo de los negocios. A Ramón, el más pequeño de los hermanos, la fama le llegó mañanera a bordo del *Plus Ultra*, por los mismos días en que Francisco, con su ascenso a general, se convertía en personaje popular en España. Pasa por ser el más inteligente de los Franco. De baja estatura como el aprendiz de Caudillo pero más vivaracho y simpático, su estrella enredada en mil aventuras políticas y temeridades fue apagándose mientras la de su hermano alcanzaba su mayor fulgor.

Cuando España, vencida en Cuba y Filipinas, decía adiós a su gloria imperial, Francisco Franco tenía seis años. Desde el puerto de El Ferrol había asistido a la despedida de las tropas que buscaban salvar el honor de la patria en su

> El desastre de las colonias
> españolas de ultramar habría
> de tener notable influencia
> en el futuro de Franco.

desigual combate con Estados Unidos y había sentido la emoción infantil que la multitud alborotada y su propia familia consiguieron contagiarle. El desastre de las colonias españolas de ultramar habría de tener notable influencia en el futuro de Franco. Pasado un tiempo, encontrará su explicación a la dolorosa derrota de España. Víctima de potencias extranjeras, envidiosas de su grandeza, había sucumbido por culpa de las maquinaciones de la masonería, destructora del sentido del deber y del honor. Pero el desastre de Cuba tuvo un efecto más inmediato en la vida del futuro jefe de Estado. El gobierno español, acuciado por la necesidad de reducir el gasto público, cerró la Escuela Naval de El Ferrol en 1907, año en el que Francisco había alcanzado la edad adecuada para cumplir su destino familiar como oficial de la Armada.

Descartada la marina, el ejército de tierra es el único recurso que le queda a un joven que debe hacerse militar porque en la mentalidad de los Franco no existe otra carrera más apropiada. Unos estudios rápidos y una paga segura. La Academia de Infantería de Toledo sustituirá a la Escuela Naval, marcando un nuevo y prometedor rumbo a la biografía del Caudillo. Sin pena alguna, Francisco deja su hogar, donde su madre, abandonada ya por el marido, se resigna a desprenderse del hijo con la esperanza de que la tenacidad inculcada por ella le haga prosperar en la vida.

Hacia Toledo se encamina Franco un tanto desencantado. Él, que amaba con todos sus genes el mar y hubiera deseado hacer carrera en el puente de un barco de guerra, tiene que contentarse con servir a España a pie en el Ejército de Tierra.

Sobre un repliegue abrupto del Tajo, la imperial Toledo ofrece el mejor escenario para la preparación de un soldado que aspira a reverdecer las glorias de España y a devolver a su patria el honor perdido. Sin embargo, la vida de la academia a Franco le resultó mucho más prosaica. Sus ciento sesenta y cuatro centímetros de estatura y su voz aguda y atiplada, que le acompañará siempre, no resultan demasiado marciales y ofrecen un blanco fácil a las bromas y escarnios de sus compañeros de estudios. Por su nulo interés en participar en las correrías sexuales y etílicas de los cadetes, Franquito se ganó fama de reservado y reprimido. Algunos de sus condiscípulos, como Camilo Alonso Vega o Juan Yagüe, no obstante, se contarán entre sus amigos.

En apenas tres años, Franco ha recibido toda su instrucción militar, consistente en la puesta a punto de hombres resueltos y empapados de un acentuado sentido de su responsabilidad como guardianes y salvadores de la patria. La historia de España, convenientemente manipulada y memorizada mediante sentencias heroicas y vacías,

De los once años de experiencia
en África nació en el ánimo
de Franco «la posibilidad de
rescate de la España grande».

constituyó también el sustento teórico del que se alimentará Franco a lo largo de sus días. Sin cumplir los dieciocho años ya está en disposición de recibir el despacho de alférez, pero el número 251 de una promoción de 312 no parecía augurarle notoriedad alguna. Su destino rutinario a la guarnición de El Ferrol confirma en 1910 su puesto en el escalafón cuyas superiores posiciones permiten soñar con más rápidos ascensos que él se afanaría en buscar por otra vía. África sería su mejor trampolín.

Lejos de los conflictos europeos, los militares españoles encuentran en Marruecos una guerra colonial hecha a la medida de su concepción del mundo y del lugar que, a su juicio, debía ocupar su país. En el macizo del Rif, incluso sin el consentimiento de la metrópoli, podía comenzar la regeneración de España, humillada por la torpeza y la deslealtad de los políticos que no entienden de heroísmos ni sacrificios. De los once años de experiencia en África nació en el ánimo de Franco «la posibilidad de rescate de la España grande. Allí se fundó el ideal que hoy nos redime», confesaría más tarde.

Hasta que llegue su ocasión, Franco se aburre entre sus paisanos, luce el uniforme del brazo de alguna jovencita, consolida la influencia religiosa de su madre y refuerza los lazos de amistad con Camilo Alonso Vega y con su primo Francisco Franco Salgado-Araujo. Los tres jóvenes oficiales planearon juntos su desembarco en Marruecos cuando el deterioro del Ejército español exigió nuevos esfuerzos y gente temeraria. La promoción por méritos, suprimida en 1898 en beneficio del criterio de antigüedad, había sido restablecida para impulsar las vocaciones africanistas, con lo cual, Franco y sus amigos tenían la puerta abierta de una carrera fulgurante en la milicia. La suerte empieza a sonreír al oficial gallego en febrero de 1912, fecha en que recibe la orden de incorporarse a la guarnición de Melilla, y ya no le abandonará en todo su currículum. Allí comenzó la irresistible promoción de Franco, que en julio de 1912 recibe las estrellas de teniente, el primero y último ascenso obtenido por simple antigüedad. Sucia y desaliñada, la vieja ciudad colonial era un bazar ambulante de sexo y armas, un hervidero de gente andrajosa, atraída por la perspectiva de trapicheo que ofrecía el horizonte de una guerra. La cercanía de la muerte alimenta las ganas de vivir de los miles de soldados que aprovechan las intermitencias de la contienda para perderse en la barahúnda del placer y la juerga. Nada de ello atrae a Franco, que en abril de 1913 consiguió ser trasladado a las recién constituidas Fuerzas de Regulares Indígenas, un cuerpo de choque y asalto, donde al mando de soldados argelinos y marroquíes se sentía más a gusto y con mayores oportunidades de demostrar su bravura.

De toda su experiencia en Marruecos, el propio Franco señalaría los años que peleó con la Legión de Millán Astray como los más determinantes.

Constantemente hostigadas las posiciones españolas por los cabileños de El Raisuni, que había declarado la guerra santa, Franco se mueve con facilidad en medio de un territorio escabroso, lleno de peligros, confirmando sus evidentes dotes de valor, aplomo y competencia. Llegan las condecoraciones y, lo que él valora más, los ascensos por méritos de guerra, mientras la fama de hombre afortunado hace a Franco aún más atrevido. En Biutz, cerca de Ceuta, Franco recibió su única herida a lo largo de una guerra que costó la vida a novecientos jefes y oficiales y a unos dieciséis mil soldados. La gravísima lesión producida en el abdomen del Caudillo alimentó dos contumaces leyendas. Una que explicaría su aparente desinterés sexual y otra que confirmaría, entre sus subordinados moros, la existencia de una mágica protección —*baraka*— que le hacía invulnerable a las balas del enemigo.

Después de una primera etapa de cinco años en Marruecos, el comandante Franco es destinado en marzo de 1917 a Oviedo, donde su aureola de héroe hace mella en una colegiala de quince años, Carmen Polo, de alta cuna asturiana y desahogada economía. Con la misma tenacidad exhibida en la guerra de África, el pequeño comandante se entregó al asedio de la chiquilla, cuyo padre no estaba por la labor del romance, aspirando a un candidato de mayor relieve social, un mejor partido para su hija.

Finalmente, la obstinación de Carmen derrotó la resistencia de su familia, que se resignó a permitir la unión. Y desde entonces la terca joven pondría toda su voluntad al servicio del historial de su futuro marido.

La boda ha de aplazarse porque la llamada de África resuena de nuevo en la cabeza de Franco, que está dispuesto a redondear su biografía con los hechos de armas que sólo aquellas tierras garantizaban. De toda su experiencia en Marruecos, el propio Franco señalaría los años comprendidos entre 1920 y 1925 —los que peleó con la Legión de Millán Astray— como los más determinantes para el afianzamiento de su personalidad y su prestigio. Ello fue debido, sobre todo, a su resolutiva participación en la reconquista de las principales posiciones españolas de la zona de Melilla, caídas en manos de los rebeldes de Abd el Krim después de la hecatombe de Annual.

Cuando la paz se asienta sobre Marruecos, bajo la dictadura de Primo de Rivera, llegan las horas de despacho y aburrimiento para Franco. Desde comienzos de 1926 es el general con más porvenir de España, pero mandar una brigada en Madrid resulta una labor decorativa poco satisfactoria e impensable en un soldado que hace unos meses dirigía valerosamente el primer contingente de tropas que desembarcaba en las playas de Alhucemas. Por ello su nombramiento como director de la Academia General Militar de Zaragoza fue una nueva luz que se encendió en su escalafón. Con el objeto de ayudar a su amigo en la formación de los futuros oficiales aterriza en la ciudad del Ebro lo más granado de los uniformes africanistas, que se habían embrutecido en las campañas marroquíes y que, por méritos de guerra más que por su dotación intelectual o humanística, se hacían cargo de las distintas materias a impartir. Todos ellos se volverían a reunir el 18 de julio de 1936.

Por más que en 1931 criticara la decisión de Manuel Azaña de cerrar la Academia, Franco sirvió disciplinadamente a la República hasta el día del Alzamiento. No se identificó, sin embargo, con el nuevo régimen. Aceptó fríamente sus destinos en La Coruña y Baleares y prefirió mantenerse al margen de la política, a pesar de algunos requiebros de la CEDA antes de las elecciones de 1933. Al cambiar de rumbo la República con el ascenso al poder del centroderecha, Franco recuperó su pulso de ganador, abriéndosele nuevas perspectivas a su ambición y tenacidad. Como asesor especial del ministro de la Guerra sofocó la insurrección de octubre de 1934 en Asturias, y esta actuación troqueló definitivamente su personalidad. Franco se creyó un predestinado, por cuya intervención el Ejército había salvado a España de la revolución comunista. La derecha ya tenía un Caudillo. Entretanto, velaba las armas el

fundador de Falange, José Antonio Primo de Rivera, atento a toda conspiración que prometiese la muerte de la República.

Nada más tomar posesión el gobierno de Azaña, constituido tras el éxito electoral del Frente Popular, cesó a Franco como jefe del Estado Mayor y lo alejó de Madrid destinándolo a la Comandancia Militar de Canarias. Otros generales sospechosos también recibieron destinos secundarios. Fue una torpeza de la República facturar a Mola a Pamplona, donde se ganó al requeté, el brazo armado del carlismo, y pudo conspirar a sus anchas. Desde mayo de 1936 tiene en su mano los hilos de la trama antirrepublicana y ejerce el mando efectivo de la conjura, aunque entre los conspiradores hay algunos de superior graduación. Mientras tanto, Franco se mueve con cautela y calculada ambigüedad, lo mismo en sus relaciones con los golpistas que en sus comunicaciones con las autoridades republicanas. Pero a mediados de junio, el general Mola ya sabe que se puede contar con él.

Los acontecimientos se precipitan. El 12 de julio, unos pistoleros —falangistas, según todos los indicios— asesinan a un teniente de la guardia republicana; al día siguiente, José Calvo Sotelo, líder de la derecha parlamentaria, cae tiroteado por agentes del orden, que quieren vengar la muerte de su compañero. España entera se estremece, temero-

A Franco, otra vez la guerra, como en Marruecos, le iba a traer suerte.

sa o esperanzada, barruntando que la rebelión podía estallar en cualquier momento. El 17 de julio de 1936, la guarnición de Melilla se subleva contra el gobierno y desde Canarias Franco vuela a Tetuán para ponerse al frente del correoso Ejército africano, sin que las autoridades republicanas parecieran darse cuenta de las verdaderas intenciones de los rebeldes.

Fracasada la sublevación militar en su objetivo de apoderarse de la totalidad de España, el enfrentamiento bélico se hacía inevitable. A Franco, otra vez la guerra, como en Marruecos, le iba a traer suerte. Con ayuda de aviones alemanes e italianos y al frente de su Ejército africano atraviesa el Estrecho bajo la despistada mirada de la marina gubernamental, carente de mandos adecuados. Por su mejor preparación y experiencia, las tropas coloniales se adueñan de toda la Andalucía occidental y progresan hacia Extremadura, donde únicamente en Badajoz se encuentran con una tenaz resistencia, que excita el ánimo de revancha de los atacantes, una vez tomada la ciudad. Cerca de dos mil hombres son fusilados, llenando de estupor a la opinión internacional, que responsabiliza a Franco, junto con Yagüe, de la carnicería. El temor a moros y legionarios y las noticias filtradas desde el frente sobre la violencia de la represión pondrán en circulación abundantes relatos de terror, que prenden fácilmente en una población que

se siente inerme ante la cabalgada del Ejército africano.

Después de su rápida serie de éxitos militares, entre los que se incluye la propagandística liberación del Alcázar de Toledo, a Franco le es más fácil presentar su candidatura al mando único, no colegiado, de la guerra, desplazando a los otros generales sublevados y al propio Mola, jefe del Ejército del Norte. Cuando se presenta la ocasión en Salamanca, a finales de setiembre, todos ellos se equivocan con Franco. Unos le apoyan confiando en sus sentimientos monárquicos que garantizarían una inmediata restauración de la Corona, concluida la guerra; otros, convencidos de su falta de ambición política. A Mola le interesaba una rápida victoria que le permitiera entrar en Madrid con todo su prestigio de director del Alzamiento intacto. Por eso aceptó el mando único de Franco, que, contrariamente, podía beneficiarse de una guerra dilatada que apuntalase su liderazgo. Acostumbrado a la brutalidad de África, Franco recelaba de la guerra relámpago y entendía la contienda como una pelea palmo a palmo por cada población.

Además de obtener el apoyo de Alemania e Italia, Franco sabía que, para salir triunfante de una guerra que se aventuraba larga, el liderazgo debía estar bien definido, y así, después de recibir en Burgos la doble jefatura política y militar de la España nacional, decretó en la primavera de

La contraofensiva de los nacionales, cruel y pausada, dio a Franco el tipo de victoria que él anhelaba.

1937 la unificación obligatoria de todos sus partidarios. La luz roja empezó a encenderse para los republicanos cuando el Ejército del Norte se apoderó de la zona industrial vizcaína, Cantabria y las minas asturianas a mediados de 1937. Mientras preparaba su asalto a Bilbao, el general Mola se estrelló con su avioneta en una colina burgalesa. La asombrosa suerte de Franco volvía a entrar en juego. Los dos únicos generales que podrían habérsele enfrentado —Sanjurjo y Mola— estaban muertos, lo mismo que los dos únicos políticos —Calvo Sotelo y José Antonio Primo de Rivera— que hubieran podido desafiarle.

Franco no tiene prisa en concluir la contienda para terminar de modelar a su gusto los territorios conquistados. Esta lentitud de su guerra de desgaste, que ponía nerviosos a sus aliados alemanes, empujó al Ejército republicano a quemar el último cartucho en la batalla del Ebro. La contraofensiva de los nacionales, cruel y pausada, dio a Franco el tipo de victoria que él anhelaba. Con la aniquilación física del enemigo no habría ni paz honrosa, ni negociación, ni acuerdo, sólo rendición. Tras el triunfo en el Ebro, bastan unas semanas para que caiga Cataluña y Madrid se rinda. El primer día de abril de 1939, Franco proclama oficialmente su victoria.

◀ En el seno de una familia ferrolana con tradición naval, Franco tuvo una educación rígida propia de las clases medias provincianas de la época. Con el afecto natural de la madre y el vacío provocado por las frecuentes ausencias de un padre descuidado, el pequeño Francisco desarrolló un carácter retraído y duro. Para con su padre, que desatendía a su mujer y castigaba con cierta frecuencia a sus hijos, no hubo jamás muestra de afecto o reconocimiento hasta el día de sus funerales en 1942. La madre, después de ser abandonada por su marido, consiguió culminar la educación militar de los hijos varones y su ejemplo terminó siendo decisivo en sus trayectorias. Toda su vida, Francisco trató de ser la antítesis de su padre y de copiar, en cambio, la textura religiosa, la austeridad y la seriedad reprimida de la madre.

▶ Hay mucha tristeza y resignación en la mirada de Pilar Bahamonde y Pardo de Andrade, la madre de Franco, una mujer fuerte y piadosa a la que el sufrimiento imprimirá una cierta grandeza y solemnidad. De ella recibirá el futuro jefe de Estado su personalidad básica y unos apellidos lustrosos con los que jugar a la heráldica, la que rodea a Jaime de Andrade, el seudónimo que empleó para firmar su novela *Raza*, mistificación de su propia vida y retrato de una familia ideal con un padre que hubiera deseado tener.

▲ Si la vida de Francisco tuvo etapas grises, su niñez resultaba insípida para los constructores del mito del Caudillo, que en vano se molestaron en conseguir alguna prueba de predestinación temprana. Tampoco da gran juego a los historiadores ni al peligroso juego del psicologismo. En la foto, los hermanos Ramón, Pilar y Francisco, emperifollados al uso, posan para el álbum familiar de los Franco Bahamonde.

▼ La presencia física de Franco, corto de estatura y escuchimizado, le hizo el blanco habitual de las burlas de sus compañeros de carrera. Una de las humillaciones fue el apelativo de Franquito, surgido en los años de estudiante de la Academia Militar de Toledo. Franco respondió separándose sensiblemente del ambiente general y empleando más rigor en los estudios, pero no el necesario para coronarlos con un expediente lucido. Su primer destino lo llevó a su mismo lugar de nacimiento, lo que no parecía augurar nada bueno en su carrera en el Ejército.

▶▶ Educado en la disciplina de las ordenanzas y en los valores tópicos del soldado, la venganza de Franco consistió en aventajar a los de su promoción en un escalafón competido. El oficial de infantería aborrecía a los políticos culpables del desastre de Cuba y admiraba el heroísmo de los protagonistas de la amañada historia militar que le enseñaban. Pronto se consideró uno de éstos, pidiendo un destino en Marruecos, donde la guerra ofrecía oportunidades de ascenso a su sangre fría y ambición. El primero de ellos —a comandante—, le llegó, a sus veinticuatro años, en 1916.

▲ Un Franco sonriente, muy orgulloso de su destino africano, afronta sus primeras campañas como segundo mando de la Legión en 1920. Este comandante de veintiocho años y de aspecto poco aguerrido ha dejado una novia en Oviedo para tratar de sofocar el incendio de Marruecos, acompañado de los primeros doscientos legionarios, una panda de inadaptados, románticos, malhechores, guardias civiles proscritos o veteranos extranjeros de la primerra guerra mundial que buscan redimir su pasado mediante el heroísmo y la violencia. Los novios de la muerte —y el primero Franco— esperan encontrar en África la oportunidad de demostrar su arrojo y valentía bajo la bandera de España. A todos ellos, el fundador de la Legión les pedía que dieran pruebas de una ciega y feroz agresividad.

▼ Franco en actitud de camaradería con su inmediato superior, el creador de la Legión, Millán Astray, en la fotografía aún físicamente completo. La intensa experiencia africana proporcionó a toda una generación de militares un sentido providencialista de la Historia, cuyo protagonismo correspondía a los ejércitos. Las cartas de presentación de aquellos iluminados eran sobrecogedoras. Largos años de servicio, heridas y combates, ascensos por méritos de guerra en una sangría de más de diecisiete mil muertos jalonaban el historial militar de quienes, como Franco o Millán Astray, estaban persuadidos de que la historia de España no podía hacerse sin ellos. Cuando decidieron demostrarlo, su talante era una mezcla de inhumanidad personal y crueldad cotidiana cultivadas en la dureza de la guerra del Rif.

▲ Los comandantes Franco y Fontanés flanquean al coronel Castro Girona, el mejor especialista en asuntos indígenas, que sin disparar un solo tiro, en octubre de 1920, se había apoderado de la ciudad santa de Xauen. Disfrazado de mercader berebere consiguió entrar en ella y negociar con sus cabecillas la instalación de una guarnición. De España llegan noticias que enfurecen a Franco. El país da la espalda a la campaña de Marruecos. «¡Qué insensibilidad!» , se desahoga en su diario.

▶ Después del sobresalto patriótico consiguiente al desastre de Annual, el gobierno español dispone de nuevos refuerzos para salvar su honra en Marruecos. A las órdenes de Sanjurjo, treinta y cinco mil hombres apoyados por la Legión y los Regulares emprenden una violenta contraofensiva en junio de 1921 con el objeto de reconquistar el territorio perdido. Las balas silban alrededor de Franco sin hacer diana en él . «Yo he visto pasar la muerte a mi lado muchas veces pero, por fortuna, no me ha reconocido», confesaría más tarde. Fontanés, comandante de la 2.ª Bandera de la Legión, que aparece en la fotografía charlando con corresponsales de guerra, perderá la vida, mientras que Millán Astray caía herido en el asalto a Nador y cedía temporalmente el mando a Franco.

▼ Las guerras que España llevó a África no le hicieron ver al futuro dictador lo que de anacrónico tenía su propósito de devolver a la nación un prestigio imperial, pero sí le convencieron de que los fracasos del Ejército se debían a la carcoma de la moral patriótica. A finales de 1922, el terreno perdido tras la carnicería de Annual podía considerarse casi totalmente recuperado. «Nos alejamos de estos lugares —escribe Franco— con el corazón desbordando venganza y jurándonos infligir a los culpables el castigo más ejemplar que hayan conocido nunca las generaciones.» El «as de la Legión» comenzaba a convertirse en héroe nacional.

▲ Los oficiales del campamento de Dar Drius homenajean a Franco, que en junio de 1923 es ya teniente coronel y jefe de la Legión. Su estatura crece montado a caballo en una nueva iconografía, luego trasladada a la escultura a raíz de su toma del poder del Estado. Las escaramuzas se suceden en el suelo marroquí, donde los hechos de armas tejen la leyenda militar del Caudillo. Muertos de sed y hambre, los cuatrocientos defensores de Tifaruin proclaman su fe en la eficacia y valentía de su mando. «Si Franco viene, aguantaremos.»

▼ La terquedad de la guerra exige todos los días su tributo de dolor que se suaviza en esta instantánea de la visita de Franco a los heridos de las operaciones rifeñas. «Este suelo que pisamos es un suelo español. Ha sido pagado al precio más alto con la moneda más fuerte: la sangre española», argumentará más tarde el futuro jefe de Estado cuando arrecien las voces pidiendo el repliegue de España en Marruecos.

Sobre el baluarte defendido por sacos terreros, en el que asoma la tronera de una metralleta, Franco explica al general Marzo las fortificaciones del área de Tizi-Azza, mientras civiles y militares asoman de sus tiendas como imágenes bufas de una guerra obstinada que media España no quiso. Hasta el propio Miguel Primo de Rivera, golpista de éxito en 1923, se jactaba de su oposición a la política española en Marruecos y de haber propuesto el abandono de unos territorios tan incómodos.

Como en la conquista de América, los españoles pudieron beneficiarse en Marruecos de las disensiones y enfrentamientos entre las distintas tribus rifeñas, cuyos jefes pactaban o traicionaban con inusitada rapidez. De su estancia en África, Franco se trajo a la Península la lección bien aprendida. Divide y vencerás. Su posterior éxito político habría de depender de un juego cambiante de alianzas y reparto de influencias, ensayado por vez primera en sus relaciones con los cabecillas moros.

▲ Por fin la guerra de Marruecos da un respiro a Franco que, cargado de condecoraciones y popularidad, abandona la soltería el 22 de
octubre de 1923 en la iglesia de San Juan de Oviedo. El matrimonio
con la señorita María del Carmen Polo y Martínez Valdés, «de la mejor sociedad de la villa», alcanzará a ver sus bodas de oro y se con-

vertirá en uno más de los compromisos larguísimos del militar, que
se resarce ahora de la pérdida de posición social motivada por el abandono de su padre del hogar familiar. La tenacidad de ambos ha logrado la victoria ante el altar, un triunfo meritorio por la oposición de
los Polo a un candidato considerado de bajo perfil.

▲ Los hermanos Franco ocuparon primeras páginas de la historia militar casi al mismo tiempo. Mientras Francisco demostraba su precocidad con su ascenso al generalato, Ramón cruzaba el Atlántico con otros compañeros en un pequeño hidroavión de nombre *Plus Ultra*. Dos récords que unieron en reconocimientos, celebraciones y una placa en su casa de El Ferrol a hermanos tan dispares. Si su hermano fue comparado con Cristóbal Colón, al futuro dictador le situaron por encima de Valdivia o Cortés. A pesar de la diversa trayectoria, Franco, por encima de cualquier principio, mantuvo la relación familiar que su padre había negado a sus hijos. El aviador Ramón, la oveja negra de la familia, anarquista insustancial y frívolo masón antes de 1936, fue rehabilitado y admitido como jefe militar en el Alzamiento, a pesar de las protestas de muchos.

▶ El general más joven de Europa después de Napoleón, como se afanaban los propagandistas en proclamar, recibe en febrero de 1926 el homenaje del Centro Gallego de Madrid con motivo de su irresistible ascenso. Su nuevo grado en el Ejército le obliga a dejar la Legión. Franco ha cumplido su misión en África y ésta ha cumplido su misión con Franco al suministrarle una buena dote de estrategias y convicciones que le acompañarán el resto de su vida. Cuando se haga con el poder pensará que los españoles, como los indígenas de la colonia, habrían de necesitar su férrea mano paternal.

▼ Destinado a Madrid, el general Franco cambiaba a menudo los galones por la corbata y el cuartel por la tertulia. Mantuvo sus amistades de guerra pero, siempre al acecho, cultivó otras aficiones y nuevas amistades. Incluso aceptó un pequeño papel en una película, junto a Millán Astray, en la que representaba su propio personaje. Eran los años de Primo de Rivera, en los que la pacificación africana se había extendido a toda la Península y los generales tenían menos trabajo y más tiempo para frivolidades sociales. Aquí disfruta de la hospitalidad del ex ministro liberal Natalio Rivas y de la charla de unos actores con los que se recrea hablando de cine, su afición duradera.

▲ La pacificación de Marruecos, tras el desembarco en la bahía de Alhucemas en 1925, no suavizó las formas en que España se relacionaba con aquel territorio pero propició imágenes complacientes, exportables a una Europa decididamente colonialista. Militares endomingados para la ocasión posan vigilantes en el encuentro de los reyes Alfonso XIII y Victoria Eugenia con las autoridades del Protectorado. Al lado del Gran Visir, Francisco Franco, que acompaña a los soberanos en la visita, rememora en el verano de 1927 sus hazañas por esas tierras que le valieron el entorchado de general.

◀ De la escuela de la guerra, Franco pasó a dirigir la guerra de la escuela, desde su cargo de director de la Academia Militar de Zaragoza, fundada en 1927 por Miguel Primo de Rivera. A pesar de sus diferencias, el dictador eligió a Franco para la importante tarea de preparar el futuro Ejército español, al que el nuevo director procuró adiestrar en los ideales tradicionales de patriotismo, disciplina, abnegación, valor y responsabilidad. Una «educación troglodítica» en el sentir de su revoltoso hermano Ramón. La ceremonia de jura de bandera de 1929 recoge la imagen de un Franco arrebatado que saluda la enseña de la patria en un ritual en el que participa con menor entusiasmo marcial el eclesiástico de turno.

▼ La República se da prisa por cerrar la Academia Militar de Zaragoza, de la que se despide Franco con un discurso áspero que disgusta a las autoridades del nuevo régimen. Designado en 1932 jefe de la XV Brigada de Infantería y comandante militar de La Coruña, Franco atiende al jefe de gobierno Manuel Azaña y al ministro de la Gobernación Casares Quiroga en su visita a Galicia. Se adivina la incomodidad del encuentro: bocas entreabiertas, segundones que se elevan sobre sus talones para salir en la foto, miradas perdidas, Franco ausente, Azaña dormitando.

▲ A pesar de que el destino en la Comandancia General de Baleares suponía un ascenso, Franco lo entendió como una postergación. Desde marzo de 1933, el general reside en Palma de Mallorca, a donde lo había trasladado Azaña con la idea de quitarle de la cabeza toda tentación golpista. La victoria del centro-derecha en las elecciones de noviembre de ese año convierte, sin embargo, a Franco en el favorito de la nueva clase política. De nuevo su estrella se dispone a brillar. El presidente Alcalá-Zamora intuye en junio de 1934 que se acercan días de excitación para el joven general que ahora departe con él.

▼ El aplastamiento de la revolución de octubre de 1934 agiganta la figura de Franco, que es nombrado jefe del Ejército de Marruecos pero se le escapa la Laureada de San Fernando con la que soñaba desde hacía años. Una estancia de tres meses en África se convierte en antesala de un nombramiento más prestigioso que, no obstante las re-

ticencias del presidente de la República, consigue llevar adelante el líder de la CEDA, Gil-Robles: jefe del Estado Mayor Central del Ejército. Los colaboradores de Gil-Robles en el Ministerio de la Guerra posan bajo la mirada del león. Africanistas, desafectos y tibios republicanos ayudan a Franco en su labor de modernización de las fuerzas armadas.

▶ En un escenario de gorras de plato y bigotes recortados, los nuevos oficiales de artillería reciben sus despachos, en la Academia de Segovia, de manos de Gil-Robles, ministro de la Guerra, ante un Franco placentero. A pesar del ulterior deterioro de sus relaciones provocado por la terrible polarización de la sociedad española, ambos trabajaron juntos durante diez meses, en el clima de confianza y admiración mutua que generó la necesidad del político de contar con un profesional que compensara su desconocimiento de los asuntos militares.

▲ Con el triunfo del Frente Popular en febrero de 1936, vuelve al poder Manuel Azaña, a quien le falta tiempo para destituir a Franco de la jefatura del Estado Mayor del Ejército y buscarle un nuevo confinamiento. Y en su obsesión por alejarlo del centro del poder lo envía a la Comandancia General de Canarias, donde podrá conspirar a sus anchas hasta encontrar la ocasión. En junio, los oficiales de la guarnición muestran su solidaridad con Franco mediante un banquete campero en el monte de La Esperanza, desde el que se contempla todo Tenerife. Los excursionistas pasan sus últimos días en el servicio de la República.

◀ Excepto en Navarra y algún otro lugar, el levantamiento del 18 de julio se había realizado al amparo de la bandera republicana. No obstante, Franco, sin consultar ni a la Junta de Burgos ni a Mola, toma la iniciativa de reponer la bandera bicolor propia de la monarquía en el Ayuntamiento de Sevilla. Para él es la única enseña nacional. Aquel 15 de agosto el general Queipo de Llano reniega de su querencia republicana mientras el cardenal Ilundain, que no se había dado mucha prisa en adherirse al Alzamiento, la tiene ahora para compincharse con los militares. En la ceremonia, cantando a la bandera Franco se sintió poeta: «Es el oro de Castilla y la sangre de Aragón y nuestra gesta gloriosa en América y los triunfos de los barcos españoles a través de la Historia.»

▼ El fervor popular acompaña los paseos de los militares por las calles de las ciudades sublevadas, convirtiéndose en un acto de propaganda de guerra debidamente magnificado. Franco voló a Burgos el 16 de agosto de 1936, donde el incómodo Mola, larguirucho y expansivo, pudo sentir el calor con que la población acogió a su camarada. También el general Cavalcanti, conspirador vocacional, tuvo que advertir hacia dónde se orientaban las preferencias de los burgaleses. Una misa solemne en la catedral oficiada por el arzobispo coronó la primera visita de Franco a la ciudad castellana.

▶▶ Carmen Franco Polo, nacida en 1926, fue la única hija de Franco. A pesar de que el mismo dictador reconociera su frustración por no poder tener más hijos y de que corriesen rumores sobre la verdadera paternidad de la niña, no hay ninguna prueba consistente sobre este supuesto. La niña, una de las preocupaciones favoritas del Caudillo, recibió una educación y puesta en escena acordes con las ensoñaciones nobiliarias de su padre. Todo el aparato del régimen estuvo presente en las principales fechas de Carmencita: cumpleaños, presentación en sociedad, boda y luego siete resonantes bautizos, utilizados como escaparate de boato y poder por su implacable progenitor.

El 24 de setiembre de 1936 Franco toma una decisión trascendental, ante el estupor de muchos de sus colaboradores. Ordena detener el avance hacia Madrid y desviar un importante núcleo de fuerzas hacia Toledo, en cuyo Alcázar permanecían sitiados desde el Alzamiento de julio mil trescientas personas, con el coronel Moscardó a la cabeza. «En toda guerra los factores espirituales cuentan de modo extraordinario», apuntó Franco descubriendo el motivo de su decisión de liberar a los resistentes. Cuatro días más tarde entraba Varela en la fortaleza y le recibía Moscardó con la legendaria frase «sin novedad en el Alcázar».

En el palacio de los Golfines de Arriba de Cáceres tiene su sede el Cuartel General del Ejército de África, donde Franco se rodea de sus fieles colaboradores mientras prepara el asalto a la jefatura suprema de la guerra y del nuevo Estado. Son muchos los entusiastas del general gallego que ya adoptan los gritos rituales de ¡Franco, Franco, Franco! a los que el teniente coronel Yagüe les promete que muy pronto habrá un líder indiscutido, un caudillo. Mientras el más seguro candidato se deja vitorear por los cacereños, su hermano Nicolás y el general Kindelán redactan el proyecto de decreto que va a aprobar un cónclave de militares en Salamanca.

Los días 21 y 28 de setiembre de 1936, en una dehesa cercana a Salamanca, utilizada como aeródromo, los líderes del Alzamiento, presididos por el general Cabanellas, se reúnen para considerar la conveniencia de nombrar un mando militar único, que parecía necesario al confluir sobre Madrid las tropas de Mola y Franco. Éste tenía su principal valedor en Kindelán y su oponente en Cabanellas, partidario de una dirección colegiada. De allí salió Franco investido «generalísimo de las fuerzas nacionales de tierra, mar y aire» y «jefe del Gobierno del Estado Español». Y corrió presuroso a enviar un obsequioso telegrama a Hitler para comunicarle su investidura.

▲ En su cuartel general del palacio episcopal de Salamanca, cedido por Pla y Deniel, el jefe del Estado despacha con su hermano mayor Nicolás, el ingeniero naval convertido en secretario y consejero político. Simpático y vividor, el primogénito de los Franco tenía unos horarios de trabajo pintorescos que se prolongaban hasta bien asentada la madrugada y contrastaban con los de su hermano, más rígidos y escuetos. Al Generalísimo le hizo un buen trabajo, jaleando su candidatura entre los militares.

◀ Tras la caída de Bilbao en junio de 1937, la guerra empieza a inclinarse del lado de Franco. La contraofensiva lanzada por los republicanos en Brunete, sin embargo, retrasa más de un mes las operaciones de avance sobre Santander. Para la acometida, el ejército franquista cuenta con las Brigadas Navarras y las divisiones italianas que después de tomar Peña Labra entran en Reinosa. El puerto del Escudo resultó especialmente letal para los transalpinos. Al frente acudió presto Franco, que se expansiona con el coronel Vigón, jefe de Estado Mayor de las tropas atacantes y colega africanista.

▼ Liquidado el Frente Norte, Franco se permite ralentizar las operaciones militares y decide imprimir un mayor ritmo a la construcción del nuevo Estado. En diciembre de 1937 los miembros del I Consejo Nacional del Movimiento juran su cargo en el monasterio burgalés de Las Huelgas con un ritual que recordaba más a las ceremonias del siglo XVI español que a las del fascismo italiano. «Esto no es un Parlamento y aquí no venimos a hacer política», puntualizó Franco a Queipo de Llano manifestando el carácter decorativo de la nueva institución. Hacía un año que el padre de Falange, José Antonio Primo de Rivera, había desaparecido y nadie estaba en situación de llevarle la contraria.

Una de las habilidades de Franco fue la utilización de cualquiera que estuviese disponible. Lo mismo viejos amigos como Suanzes que familiares consortes como Serrano Suñer, militares monárquicos como Jordana y falangistas que tenían un precio como el albacea de José Antonio, el acomodaticio Fernández Cuesta. La utilización duraba el tiempo preciso para reforzar el papel del jefe del Estado y para que el personaje en cuestión quemase sus naves políticas. Durante cuarenta años pasaron por el entorno del dictador representantes de todo el espectro cromático del régimen, a quienes sólo se exigía fidelidad y servidumbre hasta el momento en que con asombrosa frialdad eran cesados. Su primer gobierno ordinario, nombrado en enero de 1938, constituyó la primera muestra del deseo de equilibrio doméstico y componenda que caracterizaría los equipos ministeriales de Franco.

En abril de 1938, las fuerzas mandadas por el general Aranda, a cuyo frente marcha Camilo Alonso Vega, amigo de Franco, alcanzan el Mediterráneo a la altura de Vinaroz y parten en dos la España republicana. Para celebrarlo, semanas más tarde, el Caudillo, acompañado de altas jerarquías, presencia una revista naval, con la que pretende proclamar su superioridad en el mar frente a la Armada de la República.

Rostros serios y caras de preocupación en la batalla del Ebro, la única de la guerra civil en la que los desacuerdos de estrategia entre Franco y sus colaboradores se manifestaron públicamente. Cuatro meses de infierno, en los que los republicanos se jugaron la última carta, a la espera de que el estallido de un conflicto internacional, presentido en la altanería de Hitler, viniese en su ayuda. Los ignominiosos acuerdos de Munich, sin embargo, mataron aquella ilusión. Lentamente el Caudillo lleva su victoria hasta la liquidación del enemigo en noviembre de 1938.

Concluida la batalla del Ebro se ofrecen a Franco tres claros objetivos: Madrid, Cataluña y Valencia. Sus colaboradores militares mantienen diversas opiniones, pero el Caudillo se decide por la conquista de Cataluña. Tras algunas vacilaciones fija la fecha del 23 de diciembre para iniciar la campaña, negándose a conceder la tregua de Navidad solicitada por el papa. En la instantánea, Franco estudia el frente desde su puesto de observación, con la escasa tecnología al servicio del Ejército. Una imagen espartana de la conducción de la guerra por un estratega muy conservador y prudente.

Franco dirige el avance de sus tropas sobre Cataluña y presencia la retirada desordenada de las posiciones republicanas en el rápido desplome de enero de 1939. La campaña se resuelve en cincuenta y tres días. No hay esperanza alguna para la República, cuyo presidente Azaña, junto con otras autoridades, alcanzan la frontera francesa, por la que en tan sólo una semana huyen más de trescientos mil soldados. Es el éxodo más numeroso de la historia de España.

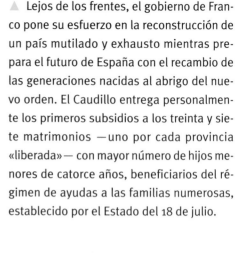 Lejos de los frentes, el gobierno de Franco pone su esfuerzo en la reconstrucción de un país mutilado y exhausto mientras prepara el futuro de España con el recambio de las generaciones nacidas al abrigo del nuevo orden. El Caudillo entrega personalmente los primeros subsidios a los treinta y siete matrimonios —uno por cada provincia «liberada»— con mayor número de hijos menores de catorce años, beneficiarios del régimen de ayudas a las familias numerosas, establecido por el Estado del 18 de julio.

▽ En las principales ciudades de España, la hora de la victoria se festeja con grandes desfiles militares y solemnes liturgias de acción de gracias que incluyen el paseo de Vírgenes por las calles para pregonar el final de la dieta religiosa impuesta por la República. Con asistencia de Franco y representación de su gobierno, los sevillanos agradecen a su patrona la Virgen de los Reyes el final victorioso de la guerra mientras entonan canciones religiosas e himnos falangistas.

▶▶ El desfile de la victoria en la capital de España fue una ejemplarizante parada militar contra el Madrid rojo que se había negado más que nadie al abrazo de oso del Ejército africano. Hubo quien pidió, ante la contumaz resistencia, castigar la villa con un cambio de la capitalidad del Estado. El despliegue de las tropas que la habían hollado lo presidió el dictador, arropado por sus meritorios generales Saliquet y Varela. Éste le impuso la condecoración más importante al valor, la Laureada de San Fernando que él mismo se hizo conceder. Franco, en la cima del víctor, tocado con la boina requeté, satisfecho por haber alcanzado todos sus objetivos militares y no militares. La guerra había terminado, empezaba la victoria y allí estaban los tanques, aviones y demás novios de la muerte para garantizarla.

La España de la media vuelta (1940-1953)

La biografía de Franco, desde el primer día de abril de 1939, fecha en que terminó la guerra civil, se confunde con la de su régimen. El jefe del Estado, un joven general de perfil equívoco, al que no se le reconocen otros talentos que la capacidad militar y una disimulada ambición, se disponía a reinar en la cumbre de un Estado que él mismo había ido levantando entre los escombros de la guerra. Para ello no contaba más que con su pobre equipaje de soldado colonial y una vaga idea de lo que debía ser un orden autoritario, conservador y católico que asegurase la unidad nacional y la recuperación de los valores tradicionales de la sociedad española. Como libro de cabecera, él, que era muy poco lector, dispuso del ideario de José Antonio Primo de Rivera, que, como se encontraba ausente para siempre, pudo interpretar de la manera que le vino en gana. Los que conocían a Franco le atribuían rasgos de impasibilidad y desconfianza, de prudencia y capacidad de adaptación a las situaciones más imprevistas. En suma, se trataba de un maniobrero.

Convencido de la superioridad de los militares sobre los políticos, Franco organizó la vida española como un cuartel y, a lo largo de su vida, se limitó a mandar. «Franco manda y España obedece», pregonaba una de las más madrugadoras consignas del régimen. No tuvo, pues, que gobernar, le bastó con mandar. A sus generales, a sus ministros, a los que cesaba con nocturnidad y sin contemplación, a todos los que componían la pirámide de poderes delegados, cuyo vértice supremo ocupaba él. Le bastaba con asistir de cuerpo presente a las reuniones semanales del Consejo de Ministros y levantar las cejas para hacerse entender y obedecer. Todos bajarían la cabeza ante el Caudillo, que sólo se responsabilizaba ante Dios y la Historia que él mismo ordenaba escribir.

La represión política y social y el hambre son compañeras de la posguerra.

Desde el comienzo de su ascensión, no quiso Franco vivir en un cuartel sino en un palacio y, musitando proclamaciones de austeridad, estuvo a punto de establecerse en el de los Reyes de la plaza de Oriente. Se lo quitó de la cabeza su cuñado y consejero Ramón Serrano Suñer, cuando al abandonar Franco la ciudad de Burgos, donde había vivido durante los dos últimos años de la guerra, se trasladó a la capital de España. Si no quería desvelar su megalomanía, ni desafiar a sus seguidores monárquicos, era más prudente que el Generalísimo eligiese otra vivienda. En seguida el matrimonio Franco echó el ojo al palacio de El Pardo, cuyas ventajas de seguridad y empaque regio hicieron decidirse a la pareja, que tampoco desdeñó las perspectivas cinegéticas del lugar. A pesar de las reformas de la mansión palatina, nunca consiguió ésta parecerse a un hogar, ni ofrecer un reducto mínimo de intimidad. Para Franco fue, sin duda, el escenario ideal donde camuflar durante treinta y cinco años su carácter distante y su frugalidad emocional, pero también el rotundo mentís de su austeridad legionaria.

Más hogareño resultaba el Pazo de Meirás, una mansión rural blasonada que convenientemente restaurada se ofreció al Caudillo, como regalo obligatorio de los coruñeses, que la habían adquirido en 1938 mediante una suscripción sugerida por sus autoridades provinciales. Luego Carmen Polo desarrollaría en la casona su afición por las antigüedades, acumulando muebles y obsequios de valor que ella consideraba connaturales a su estatus de primera dama. Allí transcurrieron las jornadas de descanso estival de Franco y su parentela que, a imagen y semejanza de la Familia Real, recalaban en San Sebastián durante el mes de agosto.

El salario que debía percibir como jefe de Estado fue un asunto que ocupó a Franco, entre desfile y tedéum, los primeros días de la victoria. Tras algunos cálculos sobre los sueldos de Alfonso XIII y los presidentes de la República, el Caudillo decidió adjudicarse la bonita suma de setecientas mil pesetas anuales. Y luego manos a la obra. La represión política y social y el hambre son compañeras de la posguerra. Con los clarines del desfile triunfal llega la victoria, en la que Franco no perdonó ni un solo día a los vencidos. A todos los españoles, con excepción de los de siempre, les tocó sufrir el hambre que perfiló anatomías y curó úlceras. La decisión política de repartir equitativamente la penuria alimentaria, mediante la cartilla de racionamiento a precios razonables, generó un mercado negro, un estraperlo, de tales proporciones que empujó al gobierno a aplicar la pena de muerte en dos ocasiones por haber sustraído partidas de harina y leche destinadas a Auxilio Social.

En Hendaya ambos dictadores
se exploran, pero la entrevista no tiene
otro efecto que los bostezos descarados
del Führer. «Con este tipo de individuos
no hay nada que hacer.»

Mientras tanto, un abrumador Estado ordenancista, nutrido de juntas de seguimiento y control, alimentó la burocracia del régimen en su esfuerzo por crear clientela política donde sólo existía instinto de conservación. Media España mercadeó, en aquellos años, contra la otra media. Fue un tiempo floreciente para el enchufe, el soborno y el enriquecimiento de los desaprensivos. Un mundo sórdido de piojo y racionamiento en el que todo, desde la instalación de un teléfono hasta una concesión comercial, se obtenía con el concurso de amigos influyentes. Al Generalísimo, sus propagandistas siempre lo eximieron de cualquier responsabilidad en las prácticas venales de sus ministros.

Franco mantuvo España al margen de la guerra mundial, en parte debido a la situación catastrófica en que se encontraba el país en 1939 y también por la parsimonia con que tomaba sus decisiones. No obstante, hubo momentos en los que el dictador pareció resuelto a participar. Durante el verano de 1940, envalentonado con la campaña relámpago de su amigo Hitler, el Caudillo pretende intervenir en la guerra, sin que nadie se lo pida. Desea compartir el festín que anuncian los tanques germanos con su paseo por Europa. En la localidad fronteriza de Hendaya, en octubre de 1940, ambos dictadores se exploran, pero la entrevista no tiene otro efecto que los bostezos des-

carados del Führer ante los mismísimos bigotes de Franco, cuya voz cansina y aflautada desesperaba al nazi. «Con este tipo de individuos no hay nada que hacer», confesó a uno de sus colaboradores. Las posesiones francesas del norte de África, a las que, asimismo, aspiraba Mussolini, eran un precio demasiado alto por el concurso bélico de un país extenuado. Hitler no llegó a lanzar ultimátum alguno a Franco sino que hizo lo que más le convino en función de sus complicidades con Mussolini y el colaboracionista Pétain. Uno de los mitos más perseverantes del franquismo fue, sin embargo, el de Hendaya, que convirtió a Franco en un político valiente y hábil, que frenó a Hitler y ahorró a España las penalidades de otra guerra.

A partir de junio de 1942, el cielo de la guerra no registró ninguna señal favorable a Hitler. Y esto lo vio al punto Franco que, sin esperar la derrota alemana en Stalingrado, cambió de gobierno, como quien muda de casaca, para buscar algún apaño con las democracias liberales, sus antagonistas. La Falange andaba muy crecida y su cuñado Serrano Suñer era un peligro por su camisa azul y su germanofilia. Salió del gobierno en plenitud física para no repetir jamás. De Serrano Suñer había aprendido Franco los rudimentos teóricos de la política, pero ahora con su propio rodaje podía desprenderse de él. Con la bajamar de los fascismos europeos, son depurados o abandonan los fa-

Con la recomposición política del mapa europeo y la depuración de los políticos e ideólogos fascistas que se avecinaba, Franco es consciente de que se acercan malos tiempos para él.

langistas duros pero también los monárquicos que están al corriente de las maquinaciones contra Franco del heredero de Alfonso XIII, en combinación con los aliados. Desde ahora, el jefe del Estado se apoyará en los militares más fieles y en una nueva generación de falangistas acomodaticios o, mejor, francofalangistas, muchos de los cuales no han conocido a José Antonio, ni están resabiados contra los carlistas ni tampoco desean la restauración de la monarquía.

El final de la segunda guerra mundial con el triunfo de las democracias occidentales y la derrota del fascismo llevó la esperanza a todos aquellos que desde el exterior o el interior confiaban en que Franco siguiera la misma suerte que Hitler y Mussolini, sus amigos. Los apoyos más importantes del dictador español habían sucumbido y en 1945 se encontraba indefenso ante la animosidad del mundo. La correspondencia epistolar con don Juan de Borbón había subido de tono, y en marzo de ese año, el pretendiente se siente con arrestos suficientes para disparar su Manifiesto de Lausana, emplazando solemnemente a Franco para que «reconociendo el fracaso de su concepción totalitaria del Estado abandone el poder» y dé paso a una monarquía democrática. El llamamiento del príncipe invitaba, asimismo, a los monárquicos a abandonar los puestos que ocupaban en la administración franquista. Dos úni-

cas dimisiones confirmaron a los vencedores de 1945 que la candidatura juanista no tenía en España el calado que el optimismo de la oposición les había hecho creer.

Con la recomposición política del mapa europeo y la depuración de los políticos e ideólogos fascistas que se avecinaba, Franco es consciente de que se acercan malos tiempos para él. Nuevas voces internacionales, combatientes contra el Caudillo en la guerra civil, ponen su acento personal en la condena de la excepción española y exigen el relevo del responsable del régimen. A éste, sin embargo, no se le pasa por la cabeza la idea de abandonar. Como militar, tenía tal opinión de su caudillaje que consideraba una cobardía el desertar del poder. Una tarea que había que cumplir a vida o muerte. «Yo no haré la tontería de Primo de Rivera. Yo no dimito: de aquí al cementerio», confesó a uno de sus generales.

En su búsqueda agónica de alianzas, Franco tiene éxito al encontrarse con un Vaticano complaciente que, aunque remoloneaba en cuanto a la firma de un nuevo Concordato, se muestra dispuesto a ofrecer un balón de oxígeno al régimen español. El presidente de Acción Católica, Alberto Martín Artajo, con el visto bueno del cardenal primado y el malo de algunos laicos cristianos, acepta la cartera de Exteriores en el gobierno que forma Franco en julio de 1945, rendida Alemania. Domesticada la Falange, Fran-

El nuevo orden internacional surgido de Potsdam consideró enemigo de la libertad al régimen español, que vivirá los peores momentos de su historia.

co busca la cobertura internacional de la Iglesia para capear el vendaval democrático y asegurar la supervivencia propia y la de su régimen. «Orden, unidad y aguantar», le había recomendado su fiel Carrero Blanco.

A pesar de algunas maniobras que el mismo Franco reconoció, no sin una cierta dosis de cinismo, como vestirse el traje democrático, el nuevo orden internacional surgido de Potsdam consideró enemigo de la libertad al régimen español, que vivirá los peores momentos de su historia, tras el cierre de la frontera francesa y la resolución condenatoria de la ONU en diciembre de 1946, con la posterior retirada de los embajadores de la casi totalidad de los países. Franco no se arredró en ningún momento y tuvo la habilidad de convertir la ofensiva exterior contra su régimen en mayor cohesión nacional. «A nosotros no nos arrebata nadie la victoria», declaró. Las apelaciones a la dignidad nacional frente a la injerencia extranjera juegan a favor del Caudillo, que se da un baño de masas en la plaza de Oriente y consigue capitalizar en forma de adhesión personal el nacionalismo herido.

Si la ostentación de la identidad católica del régimen fue una de las estrategias que empleó Franco para intentar neutralizar el asedio exterior, otra consistió en transformar nominalmente el Estado español en una monarquía. Una ficción con la que el dictador se permite escarnecer a las democracias occidentales, cuya insistencia en las ventajas para España de una monarquía empezaba a hacérsele insufrible. Sin asomo de rubor constituyó legalmente España en reino, en el que él ejercería de monarca funcional, de por vida, y tendría la facultad de prepararse un sucesor a su gusto. Con una participación desbordante, fruto de un cómodo pucherazo, se aprobó tan singular ordenamiento y se elevó a Franco a los altares de la legitimidad popular que su mujer recoge vanidosa en un comentario nada inocente. «Después del plebiscito, nadie puede negar que el pueblo español ama al Caudillo.»

En plena euforia e investido de todas las prerrogativas regias, el rey sin corona comenzó a conceder títulos nobiliarios, a su capricho, recayendo los primeros en sus viejos compañeros de armas y, a título póstumo, en los protomártires de la Cruzada. Simultáneamente, el culto a la personalidad de Franco hace rebosar las calles y cunetas de las ciudades que visita con el pretexto de conmemoraciones históricas, inauguración de pantanos o apertura de escuelas. Días de gloria doméstica de Franco, con su refrote de multitudes ante las narices de la opinión internacional, y asombro en su antiguo valedor Kindelán: «Está ensoberbecido o intoxicado por la adulación y emborrachado por los aplausos.»

La guerra fría inclinaba definitivamente la balanza del lado de Franco.

A finales de 1947, Franco sabe que ha ganado la batalla de la supervivencia. Las mismas naciones que le habían puesto la proa, al término de la guerra mundial, prefieren ahora mirar hacia otro lado y pasar por alto la falta de democracia del régimen con tal de tener un aliado más en el nuevo orden mundial. Desde las desavenencias en el seno de la ONU, la doctrina Truman o el golpe de Praga y el colofón bélico de Corea, todos los principales acontecimientos internacionales servirán para que Franco, con su currículum anticomunista bajo el brazo, consiga ser admitido como amigo de Estados Unidos y sus aliados y una pieza a tener en cuenta en la estrategia de defensa occidental. La guerra fría inclinaba definitivamente la balanza del lado de Franco. Sólo faltaba un concordato con Pío XII y un tratado con Washington para que el Generalísimo, sin dejar de reprimir las libertades democráticas, tuviera la satisfacción de entrar en el club occidental.

►► Modelo de ternura familiar con casaca. La intimidad de los Franco, con Carmen, la hija sentada en las rodillas de su madre, en una de las primeras fotos conocidas de los inquilinos de El Pardo, en la casa que iba a ser suya durante casi cuarenta años. Nenuca, como era conocida en el hogar, llenó de satisfacción a su padre con su prolija descendencia, acorde con la ortodoxia natalista del régimen. Fue siempre una sombra de los designios del dictador, que sólo objetó su elección marital. Cuando murió Franco, madre e hija tuvieron que dar la espalda al hechizo palaciego y regresar a la vida privada. Durante algún tiempo, Carmen hija tuvo alguna presencia en funerales y festividades franquistas, para disolverse luego en la crónica menuda de la vida social española.

▲ El conde Ciano y su suegro Mussolini apostaron por Franco desde el primer momento. Nada más acabar la guerra, el dictador correspondió, como es debido, identificándose con el fascismo que prometía dominar el continente. La mutua amistad se cimentó en seguida con visitas recíprocas. Serrano Suñer fue recibido en Roma con honores exagerados y meses después Ciano lo era en España. Falange escoltó al fascista por las calles madrileñas, todavía dramáticamente marcadas por la contienda, y lo llevó en volandas hasta San Sebastián, donde se fotografió con un Franco incómodo, que prefería hablar de guerra y se mostró impaciente por entrar en el Eje, ante el conflicto que se avecinaba.

▶ Primer gobierno de posguerra y segundo del franquismo, en el que Serrano Suñer se convertirá en pieza clave. Su parentesco con Franco, su filiación fascista y sus buenas relaciones con Italia hacen del cuñadísimo un indispensable ministro de Exteriores. Es la cartera más importante y la baza que Franco quiere jugar en el inminente escenario de guerra que el nuevo orden va a provocar contra las degene-

radas potencias demoliberales y el peor enemigo comunista. Unos días después, Alemania invadirá Polonia y estallará el conflicto. España proclama una neutralidad engañosa que busca dejarse seducir por el Eje y se inicia la danza de viajes, presiones, entrevistas y madejeos del Generalísimo y sus ministros buscando algunas migajas de la mesa de los grandes.

▼ De preferencias monárquicas como muchos intelectuales que terminaron adulando a Franco, José María Pemán fue una de las cumbres de la cultura del régimen. Sagaz y práctico, supo combinar su fidelidad al pretendiente de Estoril y su acercamiento al dictador. El totalitarismo reinante no podía dejar de lado a los intelectuales sumisos. Mucho menos, instituciones lustrosas como la Real Academia Española, que reabrió sus civilizadas sesiones en un Madrid todavía militarizado. Franco, «el hombre que mejor se callaba» y que no perdía ninguna oportunidad de hacerse presente, asistirá complacido y con mirada perdida al discurso del hombre que mejor hablaba.

◄ Las fuerzas mediáticas de la posguerra, las paredes y el cartelismo artesanal, junto a la radio y la prensa, se hacían eco incesante de las virtudes del salvador de España. Sin distinguir edades, las consignas del nacionalcatolicismo que presentaban un Franco providencial, elegido por Dios para librar a España y al mundo del bolchevismo, pesan sobre las inocentes manos infantiles elevadas en un forzado saludo, obligada asignatura para una generación que empezaba a conocer el precio de aquella salvación.

▶ *La Vanguardia* es uno de los mejores ejemplos de adulación y zalamería que puede encontrarse en un panorama periodístico de posguerra donde era muy difícil destacar por la abrumadora generalidad de salmodias y alabanzas a la figura de Franco. Comparaciones con los héroes de la historia de España y los emperadores romanos competían con ditirambos políticos y militares. Pero muy pocas veces se llegó a las desmesuras del que fuera director de este periódico barcelonés, Luis de Galinsoga, quien en su desenfrenado franquismo presentó a Franco como Caudillo de Occidente, al lado del cual, Churchill o Roosevelt no eran más que pobres enanos.

Minirrevista de la tropa en la estación de Hendaya en 1940. El dictador español estira su brazo izquierdo marcando el paso en una forzada posición. Bajito y rollizo, el general y su tez africana contrastan con la escogida guardia nibelunga, muestra y espejo de la raza aria, que Hitler paseaba por Europa. Mientras éste observa con gesto hosco a sus soldados, Franco parece un personaje de guiñol acartonado por la rigidez de sus cortas piernas camino de una reunión que no pudo ser más ineficaz. Un diálogo de sordos de casi tres horas del que Hitler salió enfurecido y Franco sin justificación ni contrapartidas para romper su neutralidad.

Hitler esperó en Hendaya unos minutos, descortesía venial que la lisonja convirtió en una hora y en cálculo magistral del dictador español. Según algunos, un Franco retorcido y exigente hizo que el líder nazi añorara las visitas al dentista. Conforme a otras versiones, se mostró más seducido por el prometedor botín que las potencias fascistas se iban a repartir que intranquilo por la suerte de su pueblo. Dispuesto a no perderse aquella página de la Historia, reclamó las posesiones francesas del norte de África, así como ayuda militar y regalos económicos para entrar en guerra. Pero el Führer, más interesado en la amistad de Francia, dijo que no. Luego, la propaganda franquista amañó el rechazo alemán, convirtiéndolo en negativa prudente de Franco para evitar al pueblo español otra penosa contienda.

▲ Una foto para la prehistoria del Estado asistencial español. Las primeras familias numerosas del régimen, todavía con el paño endomingado de la dehesa, peregrinan a Madrid para fotografiarse con Franco, su mujer y el ministro de Acción Sindical. Los años de posguerra, los de racionamiento y piojo, hambre y silencio, fueron campo de experimentación para los planes de subsidio y auxilio social y también oficio de demagogia de un régimen empeñado en bastarse a sí mismo. La autarquía imposible y el doctrinarismo social de Falange, convertidos en retórica del Imperio, contrastaban con la realidad pueblerina de boina y delantal que vivió la España de los cuarenta.

▶ Esta truculenta caricatura de un esperpéntico Franco ahogándose en un mar de esqueletos fue publicada en un periódico opositor en el destierro parisino. Los muertos en la guerra, los fusilados en la primera posguerra, los exiliados... para la oposición, Franco fue el responsable eminente de la tragedia española de los años treinta y cuarenta. Un personaje endurecido, al que sus propios compañeros consideraban calculador y ambicioso, capaz de alargar premeditamente una guerra durante tres años y transformarla en vengativa victoria durante cuarenta.

▼ Los homenajes a Falange y a sus líderes muertos, en especial el gran ausente José Antonio Primo de Rivera, fueron siempre una excusa para la exaltación franquista. El Caudillo, que tras la unificación política de 1937 se había adueñado del partido, ejerció en estos actos públicos la escenificación de sus poderes absolutos. Con el pretexto de pacificar la retaguardia del régimen, Franco extendió su furor militar y su personalidad resentida contra quienes hubieran podido hacerle sombra civil, incluidos muchos falangistas. No dudó para ello en utilizar la fuerza y la retórica fascistas o jurar en vano utilizando el nombre del fundador de Falange. Tampoco le vino estrecho al régimen profanar la inigualable belleza de la catedral sevillana en estas tramoyas.

▲ Benito Mussolini había sido uno de los grandes soportes de Franco durante la guerra, implicándose en ella como algo propio. Pero ahora era sólo el socio de Hitler, el sacrificador mundial del nuevo orden. Mucho más seguro de la situación, una cierta arrogancia asoma en la mirada de Franco frente al dictador italiano, que no está pasando por su mejor momento. Las derrotas militares de Italia en los Balcanes y África habían limado los espolones del gallo transalpino, cuyo representante aparece un tanto desangelado. Entrevista de una inutilidad anunciada que sólo serviría para que Franco repitiera su salmodia de debilidad y sus deseos de participación en la guerra, previa recepción de las posesiones africanas y la ayuda alemana.

▼ De regreso a España después de su entrevista en Bordighera con el Duce, Franco y Serrano Suñer hacen una parada en Montpellier para perder el tiempo con Pétain, cabeza de la Francia colaboracionista. Aparte de beber buen vino y degustar bien aderezadas viandas, la reunión no tiene otro efecto que el disgusto contenido del mariscal ante la retranca de Franco, que no suelta prenda sobre el Marruecos francés, objeto de su concupiscencia. Despechado el anfitrión, se desahoga en la intimidad manifestando que Franco no había cambiado nada; seguía siendo el mismo, tan henchido y pretencioso. La foto deja constancia de la excepcionalidad de un viaje al extranjero que el dictador no repitió más que con el Portugal de Salazar.

▲ El saludo fascista, reglamentado de forma meticulosa en la legislación del régimen, era de obligado cumplimiento público. Obispos orondos, obreros desleídos, falangistas de corto y de largo, amas de casa y niños de la guerra y el hambre fueron sorprendidos cumpliendo con el ritual impuesto por un régimen que fagocitaba cualquier esquina de la vida pública. En espectáculos como el fútbol o los toros, el saludo de la Roma imperial resultaba todavía más disparatado y recordaba imaginarias escenas del circo romano con los atletas prestos al sacrificio.

▼ Los comedores de Auxilio Social a duras penas lavaban la imagen de pobreza y necesidad que presidió la España de posguerra. El día sin postre, el plato único y otros sacrificios semejantes, sólo al alcance de una minoría, eran sugeridos como otras tantas campañas de falsa solidaridad estomacal. Las generaciones de posguerra, con veinte kilos menos que antes de 1936, asistían con la boca abierta a estos espectáculos de cartón piedra en los que Franco pasaba revista al hambre nacional, mientras los carpantas de a pie esperaban durante diez años el queso y la leche americanos y el final del racionamiento para saciarla.

▲ Los falangistas que se negaron al reciclaje y murieron con la camisa vieja puesta decían que Franco mató a Falange y los muertos no resucitan. Mientras en Italia el jefe del partido se había apoderado del Estado, en España, el jefe del Estado se apoderó del partido. Desde la jefatura inamovible del conglomerado de siglas que surgió de la unificación, a Franco no le costó mucho sortear entre los joseantonianos supervivientes los puestos y prebendas precisos para reconvertirlos a su dictadura personal. Los congresos de partido único y obligado para cualquiera que pensara medrar en la corte eran una joya de la oratoria agresiva e inocua que gastaban aquellos becarios del régimen.

▼ Franco impuso pronto sus aficiones cinegéticas entre su corte palaciega que aquí disfruta de los riscos de Gredos. Mezcla y sucedáneo del cuartel y la trinchera, la partida de caza andariega sería luego sustituida por la comodidad del puesto. Motivo de muchas de sus conversaciones, el dictador dedicó numerosas jornadas a este deporte mostrando el fondo lúdico de un soldado que presumía de maratonianas sesiones de gobierno. El timonel delegó más de lo que siempre se dijo y la leyenda de su proverbial omnipresencia política queda en evidencia al no cuadrar los numerosos días de ocio y sierra con los de despacho y trabajo.

◄◄ Franco, el militar que desdeñaba la política, se convirtió en hombre de partido y jefe de Falange con el propósito de controlar los resortes de la vida española. Retejió los harapos políticos dispersos en el campo de los sublevados para confeccionar un traje a su medida. El largo anagrama de FET y de las JONS se convirtió en el talismán de la dictadura por el que todos pasaron alguna vez. Reprimiendo el obrerismo de algunos dirigentes, convirtiendo a otros al franquismo, manipulando sentimientos o encarcelando cuando fue preciso, el Caudillo gestionó la unificación obligatoria y se sentó en el cómodo trono de un partido de funcionarios, arribistas, desengañados y aduladores destinado a labores secundarias y de maquillaje de la dictadura.

Desde el final de la guerra, nadie podría saber dónde estaba la frontera entre una concentración de creyentes y una parada patriótica. Un deseo colectivo de expiación por los pecados de la República multiplicó las peregrinaciones a distintos lugares revestidos de histórica significación patriótica, a las que los falangistas tuvieron que acostumbrarse conforme mandaba el nuevo ritual. Portando el bordón de peregrino, Franco y otras autoridades del Movimiento acceden a la catedral de Santiago mientras la multitud sigue el buen ejemplo de sus gobernantes.

La España de la pertinaz sequía fue uno de los tópicos-disculpa que el régimen repartió para disimular su carencia de una política agraria eficiente. Los senderos secos de la victoria suspiraban bajo los cielos estériles, sin alcanzar nunca la redención prometida. Hombres y tierras viejas se retorcían como sarmientos en el infierno del sur y los jóvenes escapaban a la Europa verde escurriéndose entre los dedos inoperantes de ministros y autoridades. Entretanto, ingenieros militares, agrónomos civiles y terratenientes de todos los colores componían con Franco la corte rural itinerante de aquella España sedienta donde no terminaba nunca de amanecer.

▲ Rebrotan los mitos patrióticos que ponderan la especial providencia de Dios sobre España, agraciada de nuevo con un Caudillo. Si en el siglo XVIII el Corazón de Jesús había españoleado con el jesuita Hoyos —«reinaré en España y con más veneración que en otras partes»—, ahora Franco da las gracias por el cumplimiento de sus palabras. En el centro geográfico de la Península, el madrileño Cerro de los Ángeles, se alza de nuevo el monumento al Sagrado Corazón que los rojos habían destruido alevosamente.

▼ Entre saludos fascistas y protección oficial, el régimen uniformado avanza por la feria del Libro de Madrid en 1944. Mal emparejados, las páginas escritas y el doctrinarismo oficial impusieron su ley en décadas de censura y mediocridad literaria, sólo rota por algún destello incomprendido. No se arredró la dictadura en la recuperación de las glorias literarias, mezclando lo más sublime del parnaso español con las rancias plumas del franco-falangismo. Exaltación de los siglos de oro y negación de las generaciones plata del 15 o del 27, el franquismo dejó muchos eslabones perdidos en una explicable cadena de cultura y pensamiento que tenía todavía mucho que decir, pero sólo podía hacerlo fuera de España.

▲ Desde el verano de 1937, la industria vizcaína se puso al servicio del régimen de forma incondicional. Las grandes factorías de la ría de Bilbao, en las que la burguesía consolidó su dominación económica gracias a la autarquía y al pago de los servicios prestados, fueron modelos de eficacia productiva, adhesión empresarial y desigual reparto de la plusvalía. Franco y sus gobernadores tuvieron siempre problemas con la población obrera vizcaína, que era cuidadosamente controlada y alineada cuando el dictador visitaba los talleres y escuchaba atento, como entendiendo, las explicaciones obsequiosas de los miembros del Consejo de Administración.

◄ La guerra, más que su madre o su mujer, es el acontecimiento que marcó definitivamente la personalidad religiosa de Franco. Según sus propias manifestaciones, durante la contienda había recibido la «ayuda escandalosa de la Providencia» y hasta llegó a declarar que ejercía el poder por «haber alcanzado, con el favor divino, repetidamente prodigado, la victoria». Las palmas del Domingo de Ramos rememoran en El Pardo la naturaleza taumatúrgica del Caudillo, padre y pastor, con capacidad para castigar y reconducir la nación, familia y rebaño.

▼ La tan cacareada tradicional amistad del régimen con el pueblo árabe encubrió siempre la necesidad de mantener el limes africano lo más pacificado posible para poder atender con las dos manos a las rebeliones internas. También fue moneda del trasiego comercial, especialmente valioso en hidrocarburos. Una nutrida representación de los generales que dieron el golpe del 36, con Franco incluido, había conocido la dura prueba africanista y se había forjado en el combate contra los nacionalistas marroquíes. El Generalísimo, que debía su carrera a la sangre vertida por él y sus soldados en estas refriegas, evitó como pudo una reedición de la pesadilla del Rif. Con los musulmanes, Franco se permite eximir al régimen de su intransigencia confesional y recibe encantado en el Alcázar toledano a los peregrinos de La Meca.

►► El régimen vive en 1946 los peores momentos de su historia, tras el cerco diplomático recomendado por la ONU. Para darle ánimos a Franco, medio millón de españoles peregrinan a la madrileña plaza de Oriente, cuyo balcón, necesitado de un arreglo, fue la mejor torre del homenaje del dictador en las horas de resistencia numantina. Ocultando su preocupación, Franco estampa una sonrisa mientras dedica su brindis torero a toda aquella España que le seguía.

◀ El fotógrafo no ha alcanzado a transmitir el desprecio y la antipatía que se dispensaban Franco y el cardenal Segura, arzobispo de Sevilla. En un sermón, el singular prelado se había atrevido a declarar que el título de Caudillo se aplicaba en la literatura clásica al jefe de una banda de forajidos. A pesar de los desplantes del Bonifacio VIII español, Franco no consiguió moverle su silla, si bien, firmado el Concordato, le envió un obispo con derecho a sucesión y a la policía para que lo mantuviera a raya.

◀◀ Un cuidado desorden: los libros apiñados y rebosantes, los papeles revueltos, el gesto de Franco dictando a un secretario imaginario. Anagrama de la España que construía puentes y ciudades, movía papeles y empezaba a retirar soldados de calles y cuarteles. El primer trabajador de España, disfrazado de ejecutivo cincuentón y pulcro, se muestra a sus súbditos en pleno fragor burocrático. Un hombre polifacético que sigue ganando batallas civiles y políticas y se ha designado a sí mismo centinela de Occidente desde la mesa de caoba de El Pardo.

▶ Soldado invicto, político providencial, trabajador ejemplar, padre y esposo amantísimo... entre las virtudes que adornaban el historial de Franco sólo faltaba el título de primer deportista de España, que los más aduladores periódicos competían en adjudicarle. En unos años en que el ocio nacional se cubría con elevadas dosis de adicción pasiva a deportes fuertes, el Caudillo prefería más sedentarias y fotogénicas actividades, como la pesca o la caza y en sus últimos años el golf de geriátrico. Los atunes y salmones franquistas, junto a otras circunstancias de su vida privada y pública, fueron materia prima de un catálogo de chistes y anécdotas con que el pueblo se regocijaba en voz baja y se vengaba de la abusiva presencia del dictador en las páginas de los noticiarios.

▲ La primera dama argentina, rememorando su antigua profesión de locutora y arengadora de masas, se dirige en 1947 al entusiasta pueblo de Madrid. Ataviada con un chocante abrigo de piel, Eva Perón oficia de embajadora de verano y buena voluntad en la España del aislamiento y las condenas de la ONU, cuando sólo el trigo argentino y los cantantes mexicanos se atrevían a desafiar el bloqueo al régimen. Consciente de la gravedad del momento, el franquismo convertía en jornada de exaltación cualquier visita extranjera, procediese del Estado o del establo.

▲ Eva de los descamisados, cónyuge del coronel que llegó a presidente, es recibida por el matrimonio Franco. La noche negra del franquismo se iluminó unos instantes con el fulgor de la rubia y abundante cabellera argentina. Corrían amenazas y rumores de ahogo económico, inquietantes para la supervivencia del régimen, y Franco trataba de ganar tiempo y amistades, en espera de que la guerra fría y el anticomunismo occidental le sacasen del agujero. Y de paso convertir a Evita en caravana electoral del inminente referéndum de sucesión.

▼ Si Iberoamérica fue un área natural de búsqueda de amistades del régimen, Franco también exploró el mundo árabe con idéntico propósito, sobre todo después de la creación del Estado de Israel. Procedente de Inglaterra y casi por sorpresa llegó Abdullah de Jordania en setiembre de 1949 a La Coruña, donde Franco y sus paisanos se deshicieron en halagos a su persona y a la causa árabe y lo devolvieron a su país lleno de regalos en un barco de la Armada española. Luego, a Martín Artajo le tocaría corresponder a la visita.

▲ El jefe del Estado fue uno de los mandatarios de su época que menos salió de su país. Las breves etapas en Hendaya, Montpellier o Bordighera se complementaron con la visita a Portugal de la familia de El Pardo en 1949, apoyada por la avanzadilla católica que representaba Martín Artajo. El país vecino constituyó uno de los asideros del régimen en los peores momentos. Otro fue la complaciente familia de políticos cristianos que desde Exteriores o Educación lavaron la peor cara de la dictadura. La neutralidad mutua —Lisboa y Madrid vivieron de espaldas pero sin molestarse— sirvió al franquismo para esterilizar una posible tierra de asilo de la oposición, pero no hasta el punto de impedir la instalación de la corte del pretendiente Borbón al trono. El viaje de Franco no se produce por casualidad sino en un momento en que las reivindicaciones monárquicas instaladas en Estoril habían sonado con fuerza en cuarteles y ministerios.

▼ Familia que reza unida permanece unida, proclamaba la propaganda religiosa de la época. El Caudillo y sus acompañantes oyen misa ante la Virgen de Fátima en su versión original portuguesa. Otra más viajera se paseaba por la geografía patria acompañando el ritmo internacional de la guerra fría y la marea anticomunista. Si España hace penitencia, Rusia se convertirá, pregonaba la Virgen blanca antisoviética en la apoteosis de las plazas mayores y el revuelo de las palomas de la paz franquista.

▶▶ Conjugando vestimenta militar y saludo civil fascista, Franco rinde homenaje a sus muertos de la contienda del 36. La España de la posguerra es un país triste de recuerdos amargos y catafalcos. Espíritu castrense calzado con botas y fajín de mando, el doctrinarismo falangista que quería ser mitad monje y mitad soldado aparece continuamente en la imaginería del régimen convocando al sacrificio y a la religiosidad a una población exhausta.

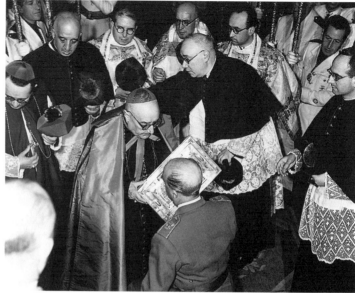

◀ Los grandes retratos que reflejan el estilo grandilocuente del muralismo fascista divulgaron hasta la náusea la efigie del dictador. En un país que se reconstruía trabajosamente y donde quince años después del último parte de guerra faltaban tantas cosas, el vigilante ojo del Caudillo penetraba en la vida cotidiana desde la radio, los periódicos o las paredes. El totalitarismo político se adueñaba del paisaje urbano, malogrando la estética de las fachadas de estilo o los retoños del árbol en la Gran Vía bilbaína.

▲ Franco y la Iglesia se utilizaron mutuamente. Uno aspiraba a dirigir la vida por entero de los españoles y a instaurar una especie de régimen orweliano en el que todo estuviera reglamentado; la otra deseaba explotar su oportunidad única de hacer España, por fin, verdadera-

mente católica. En la majestad de la catedral de Toledo y bajo el palio sagrado, los dos poderes se observan y acompañan en una liturgia barroca por la que Franco ratifica su compromiso al servicio de la cruz y la patria, teniendo por testigo al diminuto cardenal Pla y Deniel.

▼ En el territorio africano del Sahara o África Occidental española suena la arenga cuartelera del jefe dirigida a la congregación de turbantes. Está a punto de estallar la sublevación definitiva en el Magreb y Franco reedita el espíritu imperial, el mandato de la historia hispana, el destino manifiesto de convencer al ocupado de las virtudes del ocupante. Al fondo vigila un macizo cuartel de la Legión, cuerpo de élite fronterizo donde nada importa la vida anterior, presto a intervenir cuando las razones no sean demasiado convincentes.

▲ Franco casó en 1950 a su única hija Carmen, Nenuca en el ámbito familiar, con un donjuán, pariente de terratenientes andaluces que en seguida fue consolado con un marquesado. La boda del siglo en la España del hambre consistió en un derroche de lujo y desmesura de tal calibre que se ordenó a la prensa ocultar los detalles y editorializar sobre una inexistente austeridad. Generales recién ascendidos, obispos obsequiosos, joyas y trajes de gusto cargado y costosa factura, Franco quiso imitar para la boda plebeya el permitido oropel y la suntuosidad de las casas reales. El yerno de El Pardo, médico de profesión, causó algún que otro quebradero de cabeza al dictador, que con su retranca gallega supo ignorar lo que pudo.

▼ La paciencia y la obstinación de Franco obtienen un éxito resonante cuando, en marzo de 1951, el nuevo embajador norteamericano Stanton Griffis le presentaba sus cartas credenciales en el salón del trono del Palacio Real de Madrid. Con el largo apretón de manos del amigo americano, los días de soledad del engalanado dictador tocaban a su fin. Había ganado y ya la prensa podía dejar de llamar masón al presidente Truman. Uno tras otro fueron llegando a la capital de España los representantes diplomáticos de los países que castigaron al régimen por su escasa afición a la democracia.

◀ Fiel y obediente, Luis Carrero Blanco estuvo siempre junto a Franco formando un dúo en el poder. En el equipo de Presidencia desde 1951, fue el mejor intérprete de su pensamiento, sabiendo ganarse su confianza hasta hacerse imprescindible y convertirse en ayudante para todo. Tan sinuoso como su amo, el almirante Carrero puso a su servicio una gran frialdad emocional, así como una considerable meticulosidad y capacidad de trabajo. Cerebro gris de la sucesión y de muchos cambios ministeriales, el futuro presidente del gobierno vivirá entre los bastidores de las decisiones del Caudillo y le ayudará a resolver las refriegas de monárquicos, falangistas o católicos o apoyará oportunamente a los tecnócratas del Opus Dei cuando las circunstancias lo exijan.

▶ La boda de Nenuca, aunque no fuera todo lo lucida que hubiera deseado, lanzó a su madre a una desaforada carrera de lucimiento y halago social, en la que metió a su marido, que tenía de sí mismo una imagen de austeridad ejemplar. Doña Carmen aprendió pronto su oficio de mujer del César acompañándolo en sus viajes, pero no guardó siempre las apariencias, sobre todo cuando se encontraba ante una hermosa joya o un mueble de época. La codicia de «la Señora», como sus cortesanas la llamaban, sembró el pánico de los comerciantes, en cuyos establecimientos satisfacía sus caros caprichos sin abrir el bolso.

Franco se va habituando al ejercicio y a la majestad del poder y posa sereno ante el trono vacío del salón de ceremonias del Palacio Real de Madrid. A los monárquicos los tiene domesticados y no le inquietan los pataleos del pretendiente, cuyo hijo estudia en España, desde 1948, bajo la tutela del régimen. Escoltan a Franco en su puesta en escena el jefe de su Casa Civil, el marqués de Huétor de Santillán, con el que el yernísimo haría buenos negocios, y el fiel «Pacón» Franco Salgado-Araujo.

A punto de iniciarse la apertura económica del régimen, el Congreso Eucarístico Internacional de Barcelona, con su proyección extrapeninsular y sus muchedumbres desplegadas, pretendía romper en 1952 el bloqueo de las democracias contra España. En el campo de fútbol, ochocientos seminaristas eran ordenados sacerdotes mientras la multitud proclamaba el objetivo de la reunión con el himno eucarístico compuesto por Pemán. «Cristo en todas las almas y en el mundo la paz...» Y también lo manifestaba la consagración de España a la Eucaristía, leída por Franco, en presencia del legado pontificio, el cardenal Tedeschini, el mundano nuncio que años atrás había coqueteado con la República de Azaña.

El Congreso Eucarístico Internacional de Barcelona fue una concesión importante a un Estado autoritario, cuyas relaciones con la Iglesia no acababan de ser del todo fluidas. En aquel escenario, levantado sobre la religión y la patria, el gobierno español aportó su cuota repleta de simbolismo participando colectivamente en la procesión ritual y —caso único en el orbe católico— comulgando en pleno. La unanimidad del fervor gubernamental no la rompió ni el ministro de la Gobernación, Blas Pérez, a quien su precaria piedad le había traído la fama de ser masón, como si esto fuera posible con Franco.

▲ Los ministros que habían participado en las jornadas eucarísticas de Barcelona se reúnen con Franco en el palacio de Pedralbes para su Consejo semanal. Llevaban un año de rodaje y se preparaban para firmar una alianza con la democracia más poderosa del mundo. Aun así, el Caudillo se había permitido reforzar la presencia falangista, quizá con la aviesa intención de hacer cómplices a los azules de su inminente jura vasallática ante Estados Unidos o con la más retorcida de acallar los rumores que especulaban con una entrega del poder a don Juan de Borbón.

▼ Con una universidad afecta y en manos de los sectores sociales por él favorecidos, el régimen se aseguró la fidelidad jerárquica mediante el nombramiento de rectores. La adscripción política de los dirigentes universitarios se garantizaba además con la inclusión de éstos entre los procuradores en Cortes. Pero nadie contaba con la evolución inesperada de las nuevas generaciones. Los estudiantes fueron otro de los sonados fracasos del intenso adoctrinamiento del franquismo. Pertenecientes al bando de los vencedores o a familias conservadoras, los universitarios de los años cincuenta y sesenta rechazaron las imposiciones del régimen con huelgas y protestas o solidarizándose con obreros y grupos sociales reprimidos. Las complacientes expresiones de adhesión que el Caudillo recibía en reuniones y congresos universitarios no servirían para compensar las algaradas juveniles ni para ocultar la imagen de las comisarías repletas de estudiantes.

▶▶ Quiso ser la reencarnación del Cid Campeador, salvador de media España, y se quedó en dictador de toda. Hay pruebas suficientes del odio que despertaba en sus adversarios, pero es más difícil distinguir cuántos de sus valedores y colaboradores le apreciaban de verdad. Franco estuvo siempre preparado para figurar en la galería de inmortales, muy por encima de cualquier juicio terrenal. Sólo rendía cuentas ante Dios y ante la Historia. Una muestra evidente de su falta de responsabilidad política que ha procurado a su memoria juicios poco piadosos.

En 1953, Franco todavía no se encuentra incómodo en los simposios universitarios. A su lado, el catedrático de Derecho y ministro del ramo, Joaquín Ruiz Giménez, ensimismado, presta poca atención a la perorata del Caudillo, como anticipando la ruptura entre ambos. Nadie mejor que él representa el posibilismo franquista de los católicos y su progresiva tibieza y desafecto del gobierno. Al buenísimo Joaquín, el Generalísimo le encasquetó en privado el mote de «sor Intrépida», atribuyéndole insólitas maldades, entre ellas, la de haber envenenado al papa Montini para provocar su antipatía hacia el régimen.

Los Franco fueron una pareja dejada de la mano de cualquier tentación que, en público, siempre aparecía exquisitamente distanciada. Ni juntos ni por separado eran, precisamente, candidatos a *sex-symbol* de su generación. No hay registradas en las crónicas de su vida oficial ni caricias, ni sonrisas, ni tiernas miradas. Su estudiada frialdad anticoncupiscente no se rompía nunca. Es lo que hace a esta instantánea un raro y valioso documento de época. Un beso casto y soslayado en los labios, pero beso al fin y al cabo, que convierte al dictador y a su mujer en extrañamente humanos ante la sonrisa sorprendida de sus acompañantes.

▲ Franco calcula la distancia entre Madrid y Guinea en un globo te-rráqueo. Circunspecto y pensativo, tal vez nostálgico, el Caudillo ob-serva cómo la cinta une los retazos del imposible imperio que la re-tórica del régimen se prometía como compensación a sus méritos. La realidad internacional y la necesidad de sobrevivir en un paisaje integrado obligaron a Franco a bajar el listón de sus pretensiones. Las apetencias territoriales insatisfechas y el hambre de Historia fueron olvidadas a medida que los pueblos se descolonizaban y miraban ha-cia adentro. Cuando el franquismo alcanzó su reconocimiento en el concierto internacional no quedaba nada de aquel imperio que iba hacia Dios caminando en alpargatas.

Con Dios y con los yanquis (1954-1960)

Tras la firma del Concordato y los acuerdos con Estados Unidos, el Generalísimo se siente mucho más relajado. A partir de ahora se escaquea del despacho y se entrega sin límite de horario a sus pasatiempos favoritos. La caza, la pesca en cualquier agua, la equitación, las películas del Oeste y el laboreo en su finca cercana a El Pardo ocupan sus horas matutinas y vespertinas. Estas diversiones le ponen en contacto con la alta burguesía y los aristócratas desclasados que se dan codazos por los primeros puestos del festín. Una cacería podía resolver más asuntos y concesiones que un Consejo de Ministros. Mientras el cacique de España corretea por sus predios, los ministros mantienen la burocracia del Estado, despachando los asuntos diarios. La lealtad, la eficacia y la habilidad en la gestión y el mantenimiento del orden público eran cualidades que el Caudillo exigía de sus fichajes. Con tal de que no hubiera escándalos públicos, ni de alcoba ni de finanzas, Franco dejaba las manos libres a sus colaboradores y hasta se permitió mirar para otro lado en algunos casos de enriquecimiento rápido y corrupción. Cuando éstos se dieron, el dictador prefirió guardarse esa carta en la bocamanga, a la espera de esgrimirla contra su mayordomo infiel en el momento oportuno.

Por los años cincuenta, Franco, siete veces abuelo, empieza a saborear las delicias de su posición social de rey sin corona, al que se le llega a adular con la extravagante lisonja de cambiar el orden de los apellidos de su primer nieto varón. De esta forma, Francisco Franco Martínez Bordiú podría haber encabezado una supuesta dinastía sucesoria que, en opinión de algunos, Franco trató de establecer, aconsejado por su familia. El patrimonio del dictador iniciado al final de los años treinta engorda como él, sin prisa pero sin pausa, con los cuidados intensivos y rapaces de su esposa doña Carmen. Empujados por su yerno,

Los presidentes bananeros de Iberoamérica y los hijos petrolíferos del Profeta actuaban de peana de Franco, convencido ya de que su sangre azul no procedía de Falange sino de la realeza.

el superficial Villaverde, Franco y «la Señora» se iniciarán en la conquista de la buena sociedad madrileña, liquidando los últimos vestigios que les quedaban de clase media. No hacen ascos a las citas nobiliarias o altoburguesas, donde la presencia de la pareja imponía tal falta de espontaneidad, tal encorsetamiento, que no había velada por muy desenfadada y alegre que fuera que se le resistiera. La adulación y el incienso, que con tanta prodigalidad perfumaban la vida oficial del Caudillo, se colaban, asimismo, por las puertas de los hogares de quienes se tenían por amigos de los inquilinos de El Pardo, impidiendo toda verdadera comunicación.

Las cenas oficiales del Palacio Real, en honor de los pocos jefes de Estado que osan arribar a Madrid, son disfrutadas con glotonería por la primera familia de España, cuyo lucimiento busca también la propaganda del régimen. En medio de los salones palaciegos, los presidentes bananeros de Iberoamérica y los hijos petrolíferos del Profeta actuaban de peana de Franco, convencido ya de que su sangre azul no procedía de Falange sino de la realeza. La reina Isabel II de Inglaterra, por el contrario, se permitió desembarcar en la Península sin ser invitada para, desde Gibraltar, meter el dedo en el ojo de Franco y reivindicar la soberanía del Peñón. Varios artículos furibundos publicados en el periódico *Arriba* desahogarían la ira del dictador, enmascarado en un seudónimo.

También la aristocracia eclesiástica —menos glamurosa, es verdad, que la otra— se codeó con Franco. Al poco de la firma del Concordato, el Caudillo recibió la Orden Suprema de Cristo, una especie de título nobiliario pontificio reservado a los hijos distinguidos de la Iglesia, y unos meses más tarde era investido doctor honoris causa en teología por la Universidad Pontificia de Salamanca. Como ya venía ejerciendo de teólogo desde el comienzo de la Cruzada, no debió de extrañar al tropel de prelados asistentes a la ceremonia su respuesta al obsequioso discurso de Pla y Deniel. Con todo, la lección magistral de Franco adquirió cargas de profundidad sin límite, cuando explicó que el consejo evangélico de dar «al César lo que es del César y a Dios lo que es de Dios» sólo tenía sentido en la sociedad pagana. Por ello las monedas llevaban la efigie de Franco con la leyenda del origen divino de su poder. De esto no albergaba ninguna duda el jefe del Estado, que se sentía especialmente realizado cuando imponía el birrete cardenalicio a los nuevos príncipes de la Iglesia, participando así de los privilegios de los reyes cristianos. No pudo, sin embargo, coronar la testa de su fiel Eijo Garay, obispo de Madrid-Alcalá y cantor de las ventajas del nacionalcatolicismo, que se quedó sin la codiciada púrpura.

Los cinco primeros años de los cincuenta son el período de mayor tranquilidad para el régimen franquista, que

Hacia 1957, el Estado español estaba
al borde de la bancarrota, ahogado
por las malas cosechas y los principios
de una economía autárquica.

recibe un premio no merecido con el ingreso de España en la ONU en 1955. Pero al año siguiente, la primera generación universitaria de izquierda entra en escena, bajo la forma de desórdenes callejeros y alborotos en la Universidad de Madrid, reflejo de las hostilidades entre Falange y los sectores católicos aperturistas. Franco zanjó la crisis universitaria a su estilo, cesando al titular de Educación, Ruiz Giménez, y al del Movimiento, Fernández Cuesta, y declarando el estado de excepción. Otro acontecimiento vino el mismo año 1956 a turbar la autocomplacencia del Caudillo. La concesión por Francia de la independencia a Marruecos cogió con el pie cambiado a Franco que, actuando con inusitada rapidez, otorgó la soberanía al Protectorado español, donde él había hecho su currículum. A sus compañeros de aventura colonial no les gustó nada el abandono de aquel sucedáneo de Imperio, pero los cuarteles se mantuvieron callados mientras el jefe del Estado daba explicaciones a los norteamericanos, los únicos que podían pedírselas.

Hacia 1957, el Estado español estaba al borde de la bancarrota, ahogado por las malas cosechas y los principios de una economía autárquica. Fue entonces cuando Franco se vio obligado a revalidar su ladino pragmatismo y a desdecirse de sus diatribas contra la libertad de mercado. Los ministros francofalangistas, representantes del rugido de posguerra y de la revolución pendiente, serán sustituidos por hombres formados en economía y derecho administrativo, algunos de los cuales militaban en una asociación que desde entonces estaría en boca de todos los españoles: el Opus Dei. Para este instituto secular, fundado por Escrivá de Balaguer en 1928, llegaba su gran ocasión y terminaban los oscuros años, en los que se había peleado con los jesuitas por el cultivo de la juventud más valiosa y mantenido malas relaciones con la jerarquía. El cura aragonés intuyó que el tiempo del desprecio monacal del mundo había pasado y que para encontrar el camino de la santidad no hacía falta ninguna transformación radical, ninguna conversión aparatosa. Bastaba con que cada uno se quedase en su sitio y añadiese una dedicatoria —la gloria de Dios— a su actividad. En lugar de ver en el capitalismo una amenaza, Escrivá lo consideraba una oportunidad áurea para desarrollar una ética del trabajo y difundir sus ideas en la sociedad.

El quinto gobierno del franquismo pretendía imponer un halo de racionalidad económica en un régimen arcaico, políticamente intransferible. Franco había querido sustituir una gestión económica, que se había revelado ineficaz, por fórmulas consideradas mejores pero no dejando resquicio a los que ponían sus ilusiones en el cambio. Nada había cambiado y no existía alternativa alguna a su régi-

La inquietud sobre su propia vejez
y muerte proyecta su preocupación
por el problema sucesorio y el futuro
de su régimen.

men. En la apertura de las Cortes de 1957 no pudo ser más explícito, al ofrecer su vida al servicio de Dios y de la Patria sin reserva de calendario: «Nuestro régimen se sucede a sí mismo. No esperéis otra sucesión.»

Cuando en ese año el Mercado Común puso en marcha un modelo exitoso de integración europea, el régimen reaccionó, como de costumbre, con desdén público e interés privado. Mientras Franco y sus ministros más trasnochados seguían con sus baladronadas para la galería, los tecnócratas del Opus Dei estaban muy atentos a las ventajas que podría reportar a la economía española el nuevo zoco europeo. Sin abandonar la lírica de la autosuficiencia, el gobierno pidió, en seguida, al Mercado Común el inicio de negociaciones que abriesen la puerta del club, siendo rechazada su llamada por la naturaleza antidemocrática del régimen. No obstante, desde esa hora, al menos, los españoles tienen la certeza de que su destino, a corto o largo plazo, no podía ser otro que Europa, la misma que conquistaran con una hazaña futbolística nunca igualada. El Real Madrid había ganado cinco veces seguidas la Copa de Europa en la segunda mitad de los años cincuenta.

En 1958, Franco pasó largas temporadas pescando u ocupado en audiencias rutinarias, en las que sólo oía elogios desmedidos a su persona, lo mismo procedentes de una comunidad de monjas que de un colectivo de agentes inmobiliarios. Inauguraciones y viajes, con peroratas ante muchedumbres ganadas de antemano, también los soportaban esforzadamente sus sesenta y cinco años. La inquietud sobre su propia vejez y muerte, sin embargo, colorea sus pláticas con los más avezados en la tercera edad y proyecta su preocupación por el problema sucesorio y el futuro de su régimen. La muerte de Pío XII en el otoño la sintió Franco como una catástrofe. Desaparecía el apoyo más seguro de toda su vida, con quien compartía el ardor anticomunista y el modo de gobierno autoritario. «No necesito consejeros, sólo deseo ejecutores», la escandalosa declaración piana podría figurar tranquilamente en el anecdotario de Franco.

Pero la tristeza del régimen por el difunto se transformó en honda preocupación cuando, detrás de la fumata blanca, apareció el rechoncho cardenal Roncalli, ya Juan XXIII. Era bien conocida su antipatía hacia el franquismo desde sus años de nuncio en París, no desmentida en 1954 con ocasión de su viaje por tierras españolas, a lo largo del cual se permitió algunos comentarios poco entusiastas sobre Franco. Por el contrario, el sector más joven y libre de la Iglesia festejó esperanzadamente la llegada de un papa que, apenas cumplido un año de pontificado, había reprobado implícitamente el régimen franquista al conde-

ETA nacía en la zona de mayor renta per cápita de España. Desilusionado de su militancia en la rama juvenil del PNV, un pequeño grupo de estudiantes se decide a pensar por su cuenta.

nar en el mensaje de Navidad las transgresiones de los derechos de la persona y los atentados contra la libertad.

Los veinte años del final de la guerra fueron celebrados de manera altisonante el día 1 de abril de 1959, con la inauguración del Valle de los Caídos, un ciclópeo sarcófago, excavado en las entrañas del Guadarrama, que albergaría los despojos de los combatientes de la guerrra civil, presididos por los de José Antonio Primo de Rivera y, a su tiempo, los del propio Franco, deseoso de tener su pirámide mortuoria. El fundador de Falange había esperado este momento desde la interinidad de una tumba en El Escorial, que los monárquicos consideraban una profanación. Contrariamente al proyecto de reconciliación nacional anunciado, el Caudillo se deleitó en el discurso inaugural haciendo morder el polvo de la derrota a los vencidos y anticipando nuevos combates contra el espíritu del Mal, denominación teológica de sus cada día más numerosos opositores domésticos y la conjura exterior de siempre. «No es época en que se puedan desmovilizar los espíritus después de la batalla, ya que el enemigo no descansa y gasta sumas ingentes para minar y destruir nuestros objetivos», avisaba Franco, flanqueado en la triunfal ceremonia por sus alféreces provisionales.

Cuatro meses más tarde, ETA nacía en la zona de mayor renta per cápita de España. Desilusionado de su militancia en la rama juvenil del PNV, un pequeño grupo de estudiantes, hijos de nacionalistas bien apoltronados en la paz social del régimen, se decide a pensar por su cuenta cambiando las inoperantes lamentaciones paternas por un intenso activismo contra la dictadura. Las acciones preliminares de este autodefinido movimiento revolucionario vasco de liberación nacional se limitan a una serie de pintadas, reparto de octavillas, colocación de ikurriñas o quema de banderas españolas, pero en 1961 se produce la primera gran redada de militantes y simpatizantes de ETA, todavía prácticamente desconocida, después de que el 18 de julio intentaran descarrilar un tren cargado de entusiastas que acudían a San Sebastián para celebrar el aniversario del Alzamiento.

Con todo, 1959 reserva a Franco una de las mayores alegrías de su vida. Poco antes de la Navidad, el presidente de Estados Unidos, el general Eisenhower, llegaba a la base militar de Torrejón de Ardoz, donde era recibido por Franco, que había esperado largos años el momento de abrazar al amigo americano. Sólo la emoción del Caudillo por este reconocimiento internacional de su dictadura puede explicar el disparatado discurso de bienvenida con que obsequió al amoroso Ike, explicando el sentido del viaje y comparándolo con «las sublimes predicaciones de san Pablo y los días en que el insigne es-

La visita del presidente Eisenhower
y la mejoría económica que se anuncia
colocan a Franco en una cómoda situación
respecto de la oposición exterior.

pañol Adriano visitaba a pie las ciudades y pueblos de su Imperio romano». Luego, el pueblo madrileño, a medias espontáneo y a medias organizado, desbordó las calles, llegando a conmover con su acogida calurosa al hombre más poderoso de la tierra.

La visita del presidente Eisenhower y la mejoría económica que se anuncia colocan a Franco en una cómoda situación respecto de la oposición exterior, incluida la monárquica de don Juan, con quien el dictador restaura sus relaciones para atraerlo al redil. Sin embargo, la resistencia interior bulle en la clandestinidad mientras prepara sus estrategias y se fortalece con savia nueva procedente del descontento de la clerecía joven y del liberalismo o el sentimiento democristiano de las clases medias, en especial de aquellos de sus miembros que no viven del recuerdo neurótico de la guerrra civil.

▲ Después de la firma del Concordato con la Santa Sede en 1953, Franco, Caudillo por la gracia de Dios de acuerdo con la inscripción que llevan las monedas, lo es también por la gracia de la Iglesia. Su menudencia el cardenal Pla y Deniel impone al jefe del Estado la Orden Suprema de Cristo, el máximo galardón vaticano, al que se ha hecho acreedor por los inmensos servicios prestados a la Iglesia en España. Todos contentos, obispos y autoridades se intercambian piropos mientras halagan los oídos de Franco con advocaciones sonrojantes.

El vacío demográfico de la guerra, muertos más exiliados más presos, condujo a una política natalista en la que se puso a prueba la reserva de espermatozoides. Girón de Velasco, titular de Trabajo, proyectó una pirámide de población que parecía un concurso para atletas sexuales. Puntos en la nómina por la mujer y cada hijo, premios a la natalidad, incluida foto con el primer progenitor del Estado, y consuelos fiscales para las familias numerosas. En la reserva espiritual de Occidente, donde el preservativo era un producto de importación tan exótico como las medias de cristal, los sementales del régimen llenaban maternidades y páginas de periódico, poniendo más ardor en el colchón que en el campo de batalla y contribuyendo a fabricar el censo poblacional más sólido de la historia de España.

La revista ritual en cada visita campestre de los años cincuenta. Franco es saludado en Tudela por la Guardia que lleva su nombre, bajo las banderas laureadas y encadenadas del viejo reino. Mezcla obligada de requetés y falangistas, estos somatenes de reserva, después de que las cunetas y las cuevas quedaran limpias de sus fechorías de posguerra, siempre estuvieron bien dispuestos a la orden del mando. Reclutados entre los más adictos, los miembros de la Guardia de Franco fueron esforzados centuriones, azote de monárquicos, liberales y demás compañeros de viaje, llegando a constituir un amenazador grupo en las tinieblas del franquismo.

Franco, guiado por el ministro de Educación Ruiz Giménez, se dirige al salón de grados de la Universidad de Salamanca para recibir el doctorado honoris causa en derecho. Disfrazados de autoridades universitarias, la pareja representaba en 1954 uno de los intentos del régimen de conciliar posibilismo cristiano con dictadura. Como doctor neófito, y poco amigo de los libros, a Franco no le fue difícil exponer su primera lección, ya que ésta consistió en una pura glorificación de sí mismo. En párrafos ampulosos se reconoció sucesor de aquellos caudillos medievales que «en los descansos de su victoriosa reconquista sentaron los pilares sobre los que había de levantarse la gloriosa universidad salmantina».

En algunas capitales, como Bilbao, la escenografía del régimen competía en detalle y aparato con los servicios de seguridad. Mientras se registraban tejados y retretes o se vigilaban esquinas y alcantarillas, la tramoya del fascismo colocaba enormes letreros que evidenciaban un culto teatral a la personalidad del líder. Al mismo tiempo se hacía dormir a la sombra a los fichados o se ponía en viaje a los inconvenientes. Luego se rellenaban los vacíos con paisanos de provincias limítrofes o con legiones de obreros convocados a golpe de lista por los propios empresarios que formaban coro con las multitudes de entusiastas que se apiñaban en torno a Franco.

La reiteración de las fotos familiares de Franco desvelan una intención que va más allá del efecto propagandístico. Parece que no sólo la caza y el ejercicio del poder obsesionan al dictador. Como persona que había nacido en una familia con problemas conyugales y vivido una niñez imperfecta, en la que se le escatimó el cariño paternal, tal vez quiso compensarla con escenas humanizadas como ésta. Unos abuelos satisfechos ceden sus rodillas a inmaculados infantes. Momentos de intimidad familiar compartida con los reporteros. ¿Es el mismo Franco de la guerra, la crueldad disciplinaria y las condenas a muerte?

◀ La fraternidad de los dictadores. Trujillo, presidente de la República Dominicana, abre sus brazos y el calor de su pequeña isla, con satisfacción innegable, a un gobernante que empieza a conocer tiempos mejores. Pronto las visitas testimoniales de estos bananeros hispanos serán completadas con algunos de los más grandes. España ha terminado su larga travesía del desierto en busca de reconocimiento, tras el paso dado por Estados Unidos y el Vaticano. Pronto, otros presidentes más presentables prolongarán el afectuoso saludo del caribeño, reconociendo que Franco, como escribían sus profetas, tenía razón desde el principio.

▲ El desfile de la Victoria fue siempre uno de los motivos favoritos de la imaginería del franquismo. Era el día en que el Ejército, como poder fáctico disuasorio, se mostraba en todo su esplendor amenazante. Relucían las botas y los cañones, las bayonetas apuntaban al cielo, brillaban los ojos de los oficiales, sobresalían las barrigas de los generales... El Ejército salía de los cuarteles para enseñar los dientes al pueblo de Madrid. La victoria siempre parecía insuficiente e incompleta en aquella indómita villa del «no pasarán», en la que según todos los informes seguían anidando rojos y republicanos, enemigos de España.

▼ Catolicismo de procesiones y romerías, ajetreo de Vírgenes coronadas, «¡vuelve a la tradición, España mía!». El proselitismo religioso del Estado no perdona templo ni ceremonia litúrgica. Aunque no coló en el Vaticano el estridente título de «Generalísimo Cristianísimo de la Santa Cruzada». Franco se sube a los altares y corona a la Virgen de Ibiza. En escenas como ésta debieron de inspirarse algunos exaltados para promover la peregrina iniciativa de hacer cardenal a Franco. Pero en medio de la apoteosis católica del posconcordato, algunas voces críticas anuncian ya la posterior disonancia.

▲ Lo que queda de la generación del 98 saluda al vencedor que no convenció. Azorín, que pasó de joven anarquista a escritor tolerado, compartió el pan y los manteles de la dictadura con otros que desdeñaron el exilio por la paz interior de la soledad indefensa. Baroja, Ortega, Marañón... contrapuestos a sus compañeros de letras perseguidos, impidieron la clamorosa unanimidad en el rechazo intelectual al régimen, que semiabriera un siempre ambiguo Unamuno en plenas barbas de Millán Astray y que una mayor entereza exigía.

▼ Los sindicatos únicos y obligatorios desfilan ante Franco en la inauguración del Parque sindical de Madrid. Lugar de ocio para la España de las horas extraordinarias y los salarios menguados. El esparcimiento laboral en instalaciones deportivas engañaba a las vacaciones mal pagadas y a un reparto de beneficios injusto. Mientras los obreros, cada vez más conscientes de haber perdido la guerra, seguían esperando detrás de las piscinas colectivas y los gimnasios vacíos los frutos prometidos por el régimen del 18 de julio que había nacionalizado el Trabajo pero no el Capital.

▲ Durante mucho tiempo, la alianza entre el régimen y la Iglesia proporcionó algunos momentos de los menos piadosos de la historia religiosa de España. Con un Concordato por medio, que concedía al jefe del Estado el derecho de promoción de obispos, los mecanismos de selección episcopal estuvieron las más de las veces de parte de las autoridades civiles, que se equivocaron en muy contadas ocasiones al elegir sus candidatos a la mitra. No suelen abundar los obispos conflictivos en los regímenes concordatarios. La excepción, pero en la agonía del régimen, la constituyó el aquí sonriente Añoveros, cuya rebeldía en Bilbao mortificó al gobierno y envalentonó a la oposición.

▼ José Antonio Girón de Velasco es un personaje imprescindible para explicar la mitad del franquismo. Falangista de segunda mano o francofalangista, estuvo durante quince años a la cabeza del Ministerio de Trabajo, una de las carteras más comprometidas del régimen. Pero su dedicación no fue puramente técnica sino sobre todo ideológica y doctrinal, intentando enrolar a los obreros en aquel régimen de pan y trabajo, que acentuaba en demasía el segundo elemento en deterioro del primero. A pesar de todo, a Girón se le deben las primeras piedras de un inevitable Estado Asistencial, en el que el paternalismo laboral se puso a prueba y quebrará a la primera de cambio.

▲ Franco obsequió a los noticiarios documentales y a los fotógrafos de prensa con abundantes poses marineras, casi todas a bordo del yate *Azor*. Siempre que podía y el tiempo lo permitía, Franco vestía uniforme de almirante o se embarcaba para pescar desmesuradas piezas. Alguien, en medio del fervor incondicional, llegó a escribir que tenía el récord de Europa de pesca de atunes. También gustaba de saturarse con paseos por sus posesiones saladas, desde donde contemplaba a prudente distancia la fortaleza peninsular rendida a sus náuticos pies. Así compensaba la frustración marinera que siempre reinó en el seno de su familia.

Desde el final de la guerra civil, los jefes de Estado que venían reconociendo a Franco no tuvieron demasiada prisa en conocer de cerca los salones de recepción del régimen. Hasta 1949 no se registra la primera visita, la del rey de Jordania, Abdullah, cuyo hijo Hussein repitió pocos años después. La llegada de príncipes y reyes orientales, tan interesados como el dictador en ser recibidos y reconocidos por cualquiera que tuviera un himno nacional que ofrecer, se convirtió en la nota exótica de la diplomacia española de los cincuenta que amenazaba devenir en una crónica rosa de playas, parejas y toreros.

En lugar preferente de los desfiles y desplazamientos, la Guardia Mora representó durante muchos años el recuerdo de las tropas mercenarias marroquíes. De proverbial crueldad en el combate y el saqueo, las tropas a caballo y uniformadas al modo oriental fueron, para los perdedores, un símbolo del terror que acompañó el avance del Ejército de África por la Península y una pincelada de boato real, muy propia de Franco. Cuando el Marruecos francés alcanzó la independencia en 1956, Franco aceptó la realidad con la frialdad exterior que le caracterizaba, a pesar de que significaba el final de la utopía del imperio africano que tanto reclamó a Hitler. Con la descolonización del Protectorado desapareció también la Guardia Mora y el aspecto regio de las comitivas de Franco. Era un signo más de la progresiva entrada de España en una modernidad oscura, de la que la dictadura no tenía nada que temer.

 El régimen mantuvo una relación de desconfianza cordial con muchos personajes con quienes no convenía el enfrentamiento mutuo. A pesar de la manía de Franco a los intelectuales, especialmente a los liberales, se los toleraba como potenciales colaboradores dispuestos a ser utilizados. Uno de los líderes del liberalismo intelectual español, el doctor Marañón, estuvo en danza en algunas listas de notables de recambio para blanquear la dictadura en los peores años de posguerra. La presencia física en los aledaños de El Pardo de algunos monárquicos o de prestigiosos intelectuales de medias tintas políticas, a los que se dejaba respirar con prudencia, no perjudicaba precisamente la imagen de Franco. Lo que tampoco era ninguna garantía para los implicados.

▶ La situación en Cataluña se agravó durante los años cincuenta, especialmente por la contestación al régimen de las juventudes nacionalistas y los estudiantes. No obstante, Franco visitaba la Ciudad Condal con frecuencia, así como el cercano monasterio de Montserrat, lo que no hacía sino exasperar más a sus opositores, decepcionados por las multitudes que congregaba. Mientras tanto, las diferencias entre el abad y las autoridades franquistas eran la contrapartida de la adhesión servil del obispo Modrego. Entre conflictos y refriegas, prohibiciones y arrestos de militantes católicos, los templos y seminarios serán profusamente utilizados por la oposición para probar que la unidad entre la Iglesia y la dictadura se iba a romper por el eslabón juvenil.

▼ Menos de diez años después del final de la guerra mundial, los grandes aceptaron a Franco. ¿Qué había pasado? Según los enamorados de la dictadura, el tiempo había dado la razón a España. El Caudillo se había adelantado a la Historia y Estados Unidos había reconocido por fin al centinela de Occidente, frente al peligro comunista. La guerra fría fue el ingrediente milagroso que sirvió en bandeja los pactos hispanoamericanos y la entrada en la ONU en 1955. Los yanquis empezaron a rondar la reja franquista cuando la guerra de Corea y terminaron, sin pudor alguno, por enviar a sus más relevantes personalidades, como el secretario de Estado, John Foster Dulles. El régimen conseguía de este modo, manteniendo todas sus prohibiciones, reducir la oposición a un patético ir y venir de promesas rotas.

▲ Durante casi veinte años, el bien social por excelencia, la vivienda, estuvo sometido a un racionamiento severísimo. Hasta 1957, el franquismo no puso en marcha un Ministerio de la Vivienda, que muchos creen fue la poltrona de salida para el conflictivo Arrese, arquitecto de profesión. El problema se abordó sólo a medias en los años sesenta. Con planes de vivienda para los afectos, que malcopiaban las casas baratas de antes de la guerra, se buscaba la desaparición de los barrios de chabolas más sangrantes, con la ropa cara al sol, chiquillos desnudos y barreños de agua sucia volcados en el camino victorioso. Al chabolismo sucedieron entonces los barrios dormitorio, colmenas populares, donde la miseria y el desarraigo se ocultaban a la vista del turismo y de la sensibilidad residencial de los nuevos españoles. La foto celebra la inauguración por Franco de la Casa sindical y la entrega simbólica de los grupos de viviendas del plan de 1954.

▼ Pompa de Guardia Mora y Rolls-Royce en una visita glacial con algún desplante incluido, después de años de declaraciones de colaboración y amistad hispano-marroquí. Mohammed V de Marruecos llega a Madrid en 1956 para sancionar la independencia del Protectorado español, que precipitadamente tiene que conceder Franco después de la retirada de Francia. Algo moría en el alma del as de la Legión al estampar su firma, protestada por sus colegas africanistas que habían hecho también su carrera en el Rif. Para consolarse, acentuó sus presiones sobre Inglaterra, sacando a la gente a la calle bajo la bandera de la españolidad de Gibraltar.

►► El dictador era un empedernido aficionado al fútbol, del que no se perdía ninguna retransmisión. Incluso hacía quinielas regularmente, consiguiendo en una ocasión un suculento premio. Pero sus apariciones en los estadios fueron más bien esporádicas, casi limitadas a las finales de Copa, una vez al año. Cuando sucedía esto, la presencia de Franco y su mujer se convertía en parte esencial del acontecimiento que adoptaba en esos momentos su verdadero tinte político-social. Los encargados del buen resultado de la operación llenaban los rincones estratégicos del estadio con una clac bien instruida y distribuida. Así se conseguía que la multitud estallara en espontáneas ovaciones, nutridas por todos aquellos que no deseaban aparecer ante las cámaras como indiferentes.

Otro representante del mundo árabe, el rey Faysal de Iraq, es agasajado por Franco en Madrid. Desde la tribuna madrileña contemplan el desfile anual que celebra la victoria del Caudillo en la guerra civil. Historia y presente, forcejeo entre el ayer y la modernidad, gobiernos que no dan el paso del feudalismo a la democracia, pobreza y desigualdad que acusa con los dedos sucios del petróleo, el joven monarca árabe llega a España con la crisis del canal de Suez en carne viva. Unos días más tarde, el vicepresidente norteamericano Richard Nixon hacía escala en Palma de Mallorca para conocer la trastienda de la visita.

Los pantanos son como los hijos de Franco. Inauguró tantos en los años cincuenta que los españoles bromeaban con la obsesión del Caudillo por estos volúmenes de agua contenida. Fue la particular reforma agraria del régimen, decidido a no tocar la propiedad como había intentado la República pero sí a hacerla más productiva, convirtiendo el secano en regadío. El regeneracionismo español que alentara Costa había encontrado otro cirujano de hierro, dispuesto a continuar el trabajo de la Dictadura de Primo de Rivera en la regulación de las cuencas de los ríos. En la instantánea, rodeado de ojos expectantes, Franco visita las obras del pantano leridano de Santa Ana en 1955.

▲ Titulares de una de las coronas que más juego ha dado a la prensa del corazón, los príncipes de Mónaco menudearon la España de los cincuenta. Grace y Rainiero fueron una de las pocas parejas coronadas que acudían siempre a Madrid, con gastos pagados, a cualquier requerimiento. Su presencia en acontecimientos de la familia Franco constituyó el contrapeso inútil que el régimen opuso a tanta ausencia real solidaria. Para el franquismo, la belleza y el gusto de la princesa actriz suponían un relleno estético de las rancias figuras nacionales, uno de cuyos sueños obsesivos fue la emulación de la realeza.

▼ Cambó fue un personaje que no engañó a nadie que no quisiera ser engañado. Financiero y político, colaboró con la monarquía de Alfonso XIII como ministro de Fomento y Hacienda y ayudó con dinero a la causa del 18 de julio. Antes había conducido a los comerciantes y pequeños industriales de Cataluña por la senda del regionalismo catalanista, sano en lo político y sustancioso en lo contable. Su biografía posterior no permite acusaciones de incoherencia. Conservador, religioso y burgués de orden bancario, el franquismo fue un régimen providencial para los negocios que tan ejemplarmente representaba. Durante la posguerra, instalado en Argentina, Cambó se dedicó a escribir cartas a su familia y un diario, a viajar y a recolectar un importante patrimonio pictórico que, a su muerte, donó al Museo de Arte de Cataluña. Franco se apresuró a fotografiarse entre los cuadros del Legado Cambó, expuestos en el Salón del Tinell, a mayor gloria de la dictadura.

«Yo soy el centinela que nunca se releva, el que recibe los telegramas ingratos y dicta las soluciones; el que vigila mientras los otros duermen.»

FRANCO

▲ Los años cincuenta transcurrieron con relativa calma política, una vez que el reconocimiento internacional fuera un hecho consagrado por las alianzas con Estados Unidos, el Concordato o la entrada en la ONU. No obstante, cuando las aguas de las eternas conspiraciones judeomasónicas parecían calmarse, se empezaron a activar las viejas brasas internas. Primero los obreros con huelgas y boicots, luego los estudiantes, tan desagradecidos a su suerte. En febrero de 1956, Franco resolvió la crisis de gobierno, originada en los conflictos universitarios, con una reparación de emergencia. Salomónicamente mandó al paro al titular de Educación, Ruiz Giménez, y al secretario general del Movimiento, Fernández Cuesta. Empate a cero entre Falange y católicos, mientras el dictador volvía a dejar claro su único objetivo: la permanencia en el poder. Y una vez más la reunión ministerial es en San Sebastián, también bella en invierno.

▼ Las tripas de los montes de carbón hubieron de contraerse con el visitante que había reprimido a los mineros en 1934 y volvía para derrotarlos unos años después. Enemigos jurados, los trabajadores asturianos y el régimen franquista mantuvieron una dura pugna. Sometidos a pésimas condiciones, presa fácil de la silicosis y otras enfermedades del trabajo, a los mineros no les quedaba ni el consuelo de un salario suficiente. Desde mediados de los cincuenta, los estallidos huelguísticos, los estados de excepción, los enfrentamientos, las cárceles y las comisarías fueron las piezas de esta áspera relación que las vestimentas regimentales trataban inútilmente de blanquear.

◄◄ Grave foto de estudio. El Caudillo, que tantos estrafalarios ditirambos recibió, nunca desmintió ninguno, que se sepa. Por el contrario, siempre trató de adaptarse en público a las lisonjas, incluso a las más inapropiadas. En esta ocasión pretende interpretar el papel de vigía de Occidente, dedicado a la labor desmesurada e impagable de gobernar España y a los españoles desde la atalaya de su bastón de mando y su guerrera satisfecha de victorias.

Gaínza, el capitán del Atlético de Bilbao e ídolo nacional, alza la Copa después de haberla recibido de manos del Caudillo. Ambos fuerzan una expresión seria que contrasta con las abiertas sonrisas que los rodean. El histórico equipo bilbaíno había hecho de su política de fichajes de la cantera una seña de identidad, que le granjeó las simpatías de España entera, donde proliferaban las peñas de seguidores atléticos. La práctica de los ejercicios espirituales, aconsejada por la directiva del club a los jugadores, contribuyó a reforzar la aureola de un equipo que presumía de haber ganado más que nadie la Copa del Generalísimo y tener entre sus hinchas a muchos curas, algunos muy encumbrados, como el cardenal Tarancón.

El andalucismo folclórico acompañó con frecuencia la imagen de un régimen que consiguió convertirlo en sinónimo de mal gusto oficial y expresión chabacana de la cultura española. No fueron las manifestaciones populares madrileñas, catalanas, vascas o castellanas, más identificadas con períodos anteriores, las señas de identidad de la cultura del franquismo sino la España cañí de peineta, faralaes y porompompero. Con ellas se engatusaba a un turismo de poca estopa, se recibía a visitantes más o menos ilustres y se encorsetaba al país con los tópicos de la guitarra y el traje de lunares.

◀ A finales de 1957, los nacionalistas marroquíes atacaron el enclave de Ifni provocando numerosas bajas en un Ejército deplorable. Estabilizada la zona con abundantes tropas regulares, el régimen recuperó la retórica de los caídos y las loas al valor épico del soldado español. Una vez más, las frases trasnochadas taparon los errores logísticos y la escasa preparación de las Fuerzas Armadas. Junto a ello, dando una cara modernizada y lúdica de la tragedia, según el modelo que los yanquis habían utilizado en Corea, se escenificó el divertimento de la tropa para los corresponsales de prensa. Queriendo ser la Marilyn española, la folclórica Carmen Sevilla se apuntó la primera a la foto bélica americanizada.

▲ En el tiempo que le dejaban sus visitas al ginecólogo, Soraya, la estéril emperatriz de Persia, de ojos verdes y tristes, se pasó por Madrid, quizá para explicar en primera persona a doña Carmen la amargura de su maternidad imposible, que conduciría al repudio matrimonial. Franco y el sha, que no tendrían mucho que decirse, aparecen eclipsados, Castiella al fondo, por la conversación femenina, tanto como los problemas del pueblo español e iraní lo estaban siendo en la propaganda internacional por el comportamiento irresponsable de sus gobernantes.

▼ El modelo autárquico se hace insostenible mientras se abren nuevas posibilidades de vincular España a la evolución normal de las economías occidentales. Ha llegado el momento de que los principales interesados en las reformas, la banca y las grandes empresas disputen decididamente el poder a los equipos políticos anteriores. La tensión entre las fuerzas del régimen se resuelve en el cambio de gobierno de julio de 1957, cuando por vez primera entran en el gabinete Ullastres y Navarro, ministros de talante económico y miembros del Opus Dei, que inauguran una nueva familia dentro del franquismo. El jefe del Estado liquidaba a viejos demagogos como Girón y trataba de hacer sonreír al Movimiento con el gracioso Solís.

▲ Por fortuna para los amantes de la pintura y para la misma historia del arte, las aficiones del dictador en este campo no fueron obsesivas. Si resultó ser un marino frustrado al timón del *Azor* o un arquitecto malogrado en el Valle de los Caídos, los españoles no supieron apenas de sus amenazantes intenciones pictóricas, tal vez inducidas a semejanza de Churchill. Su calidad como émulo de Velázquez hubo de ser ínfima, hasta el punto de que ni sus más abyectos aduladores se atrevieron a inquietar a la sufrida opinión pública con sus inexistentes virtudes con el pincel.

◄ Prosiguen las inauguraciones de pantanos y los chistes sobre el protagonismo de Franco en ellas. Después de una década, la de los cuarenta, con el peor índice hidrológico del siglo, la inauguración de presas se convirtió en una de las obsesiones del franquismo. Se producía el paso de la victoria a la paz tecnocrática y se preparaba la economía española para el reto de una competencia que nunca ganaría. Día de fiesta mayor, el pantano era bautizado en una ceremonia donde no faltaban los ministros del ramo, las fuerzas vivas y el obispo de turno más cercano.

▼ Revuelo de tocas en torno a Franco, que mira complacido e indulgente el embelesamiento de las monjas mientras su séquito manifiesta comprensión en su rostro con las debilidades del padre. La conmoción de la guerra y el sentimiento expiatorio de la posguerra fomentaron un reclutamiento masivo de vocaciones a las congregaciones religiosas. Originarias en su mayoría de ambientes rurales, los escasos años de formación de las monjas sólo les facilitaron un ligero barniz, que les sería del todo escaso para su trabajo docente. El cúmulo de tensiones entre educadoras y educandas, la lucha de mentalidades y la disparidad de juicios sobre la realidad social subyacen en la imagen de la mujer devota del costumbrismo de la época.

►► El patio de armas del Alcázar de Toledo, uno de los monumentos políticos del régimen que más juego dio en la épica del Alzamiento y en los méritos de Franco, es testigo de la renovación de jura de bandera por el dictador. Reconstruido bastantes años después de la guerra, mitificado hasta lo imposible, presentado como ejemplo permanente del heroísmo saciado de la Cruzada, el Alcázar miraba desde un promontorio de la ciudad imperial, como por encima del hombro de Toledo, a vencedores y vencidos, obligado a recordar cuando fuera necesario el inútil sacrificio de la fiel infantería.

Las corridas de toros siguen acaparando la atención de los españoles y el interés del régimen, que utiliza la fiesta bravía y sus mascotas como escaparate de la España pacificada y alegre. Después de la era Manolete, mito nacional tras su muerte por el zaíno *Islero*, la popularidad del rito lúdico y sangriento se nutrió de otros muchos animadores, entre los que sobresalieron Antonio Ordóñez y Luis Miguel Dominguín. En el intermedio de la corrida, los matadores ofrecen a Franco el espectáculo, el ruedo y la verbena, el aplauso y la página de periódico.

Galicia es una tierra hermosa y cálida, de un verdor hipotecado por el caciquismo y la resignación centenaria. Muy sensible a las demandas de las poderosas burguesías vasca y catalana, apenas hizo nada Franco por mejorar la fortuna de sus paisanos, desoyendo los gritos de este rincón irredento de España. Ni siquiera su Estado de Obras, que decían los aduladores, consiguió llevar la esperanza ferroviaria o el progreso del asfalto a unas tierras que venían siendo cantera tradicional de emigrantes. Solemnidad grande en Orense con Franco de marino, el obispo de pontifical y las comparsas de corbata para bendecir un tren que llevará al Norte rico el trabajo y la *saudade* de unos hombres y mujeres vomitados por el hambre.

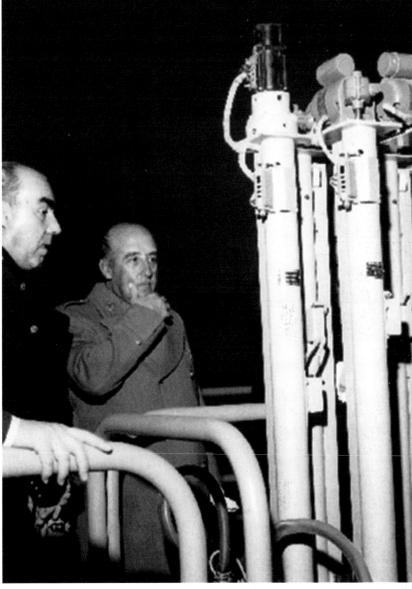

◀ «Temo a las multitudes aunque estén formadas por obispos», había dicho el teólogo Laínez en pleno concilio de Trento. A los suyos no les tienen ningún miedo ni Franco ni doña Carmen, como se puede ver en la instantánea tomada en la inauguración del edificio de la Nunciatura de Madrid, donde reciben todo género de sonrisas y halagos. Detrás del Caudillo, el sumiso Antoniutti pastorea el rebaño, vigilando toda oveja que pretenda brincar fuera del redil del Concordato.

▶ Siempre hasta ahora «habían inventado ellos», quizá por esta razón el Caudillo, al lado de su fiel Carrero, parece mirar con cierto asombro contagioso el reactor nuclear del centro Juan Vigón. Superada la desconfianza hacia la ciencia y bajo la consigna de «átomos para la paz», España también piensa en la utilización con fines industriales de la energía desprendida por la desintegración del átomo de uranio. Luego vendrían los ecologistas de los setenta, recriminando con sus soles, a chafar la fiesta nuclear.

Orgulloso de utilizar los viejos privilegios de los reyes de los países católicos, Franco impone el birrete cardenalicio al nuevo príncipe de la Iglesia, el arzobispo de Sevilla, José María Bueno Monreal, en diciembre de 1958. La Iglesia y el Estado todavía están con la resaca de la firma concordataria y rivalizan en cantar las excelencias del acuerdo. El novel cardenal llegó al do de pecho en su retrato agradecido del Caudillo. «Un gobernante de profundo sentido cristiano, de honestidad acrisolada en su vida individual, familiar y pública, que con justa y eficaz rectitud, al tiempo que con total entrega, prudencia y fortaleza, trata de conducir la Patria por los caminos de la justicia, del orden, de la paz y de su grandeza histórica.» Amén.

El Valle de los Caídos y su basílica faraónica, bajo una cruz desafiante, fueron una idea personal del dictador, que traducía de ese modo la enorme tragedia española de los años treinta. Con la pretensión de grandeza de la antigüedad, Franco no pensaba tanto en su propia tumba como en perpetuar el resultado de la victoria militar, observado a través de la alianza monumental entre el sacrificio bélico y la religiosidad. Costosa grandeza, cuya construcción a lomos de miles de prisioneros políticos supuso veinte años y numerosos recursos financieros que sirvieron para iniciar la prosperidad de algunas boyantes empresas constructoras.

Iturmendi y Barroso, dos de los ministros de la inquebrantable adhesión, flanquean al matrimonio de El Pardo. El primero se sostuvo en la cartera de Justicia casi catorce años, mientras que el segundo constituye uno de los casos de mayor fidelidad franquista, a pesar de sus inclinaciones monárquicas reprimidas a tiempo, premiada con la cartera del Ejército. El dictador, arropado por esta comitiva, apenas puede mantener su exceso de calorías de buen comilón en la gala enjuta de una chaqueta laureada.

▲ La guerra fría fue el mejor aliado internacional del régimen franquista; con ella llegaron la leche, la mantequilla y el reconocimiento de Washington. Los americanos, sin el menor sonrojo democrático, cambiaron embajadores y sillones en la ONU por bases militares y una alianza incondicional anticomunista con el ex amigo de Hitler. La culminación de este mercadeo fue la visita de Ike Eisenhower en 1959, para la que el régimen sufragó una de sus campañas más serviles y agradecidas. Débiles voces falangistas se opusieron a las bases americanas en nombre de la soberanía española, pero quedaron barridas por el huracán de elogios a quienes hacía poco eran furiosos enemigos. Cuando Franco abrazó a Eisenhower en Madrid, nadie se acordaba ya de los cánticos a la Alemania nazi, sepultados por las alabanzas a los nuevos campeones de Occidente.

◀ La política franquista con el mundo árabe constituyó un ejemplo de navegación entre dos aguas. Además de la retórica interesada, los acercamientos públicos fueron notorios. En especial el apoyo a la causa egipcia en la crisis de 1956 frente a las pretensiones anglofrancesas sobre Suez, con venta de armas y declaraciones a favor. El líder del nacionalismo panarabista, Nasser, gozó siempre de buena prensa entre los elementos azules del régimen, al mismo tiempo que un peculiar Franco miraba al tendido de Washington sin olvidar los suspiros que España estaba dejando en el Magreb.

▼ Franco se dejaba querer por los gobernantes iberoamericanos a la menor oportunidad. Mientras tanto, la propaganda oficial hacía creer a los súbditos en las virtudes perennes del descubrimiento y la conquista del nuevo continente. En la realidad, España sólo recogía las migajas que la presencia neocolonial USA permitía, y la rentabilidad se resumía en lo político a evitar que los grupos antifranquistas del exilio sacaran los pies del tiesto opositor. Los presidentes argentinos fueron de los más primorosos, ofreciendo su abrazo a un régimen cuya lejanía geográfica, sus atenciones regias y el pago de la deuda siempre venían bien. Aquí, Frondizi hasta participa en un tedéum de acción de gracias por el buen resultado del Alzamiento. Por supuesto, los embajadores de Estados Unidos de ambos lados del charco estaban felices y debidamente informados.

▲ Durante la guerra civil, Oliveira Salazar, el dictador portugués, había permitido a las tropas de Franco utilizar suelo lusitano para sus operaciones de enlace. En la posguerra, el Pacto Ibérico consolidaba las relaciones entre ambos, adornadas con varias entrevistas y otros ágapes políticos que ponían nerviosos a los socios occidentales de Portugal. Para los protagonistas, en cambio, la cuestión era firmar lo que fuera: pactos, tratados o libros de visita de paradores nacionales. La satisfacción natural que reflejan los rostros de los dueños de la península indica el poco cuidado que les producían los celos democráticos de la OTAN.

▼ Corre el año 60. Franco no las tiene todas consigo cuando examina el comportamiento de la Iglesia en su relación con el gobierno bienhechor. Más de setecientas revistas y boletines, cinco mil libros editados en veinte años, siete mil colegios y escuelas con cerca de dos millones de alumnos, editoriales, periódicos... proclaman la presencia pública de una Iglesia a la que gusta manifestar que su reino no es de este mundo. Con las bendiciones del jefe del Estado, la ACNP, satisfecha de la nueva sede de la Editorial Católica, su buque insignia, se cobra así los servicios prestados al régimen mediante sus miembros colaboracionistas.

Años de paz y playas (1961-1970)

Si al terminar la guerra civil apenas contaba con el Ejército, la Falange y la Iglesia como fuentes de legitimidad, en los años sesenta Franco busca esforzadamente la justificación de su poder mediante la eficacia y la buena gestión del bienestar. A partir de entonces el desarrollo será la gran mercancía política del Generalísimo y la subida de la renta per cápita el gran objetivo nacional. Por vez primera en el franquismo se ensayaría algo parecido a una política económica, que sirviera a medio plazo para crear una clase consumidora, la mejor alternativa a un descontento de clase. Franco sabía adónde quería llegar pero, durante algún tiempo, casi sin advertirlo, siguió hablando de autarquía. La liberalización, aunque ésta fuera atribuida sólo a la economía, no sonaba bien en aquellos oídos autoritarios. Tanto afán pusieron sus ministros tecnócratas en cambiar la mentalidad y el vocabulario del dictador que un día, cansado del bombardeo hizo una sorprendente declaración: «Yo me estoy volviendo comunista.» Y en verdad su querencia autárquica y su nulo conocimiento de las leyes de la economía le hicieron en más de una ocasión apartarse del guión escrito por sus ministros del Opus Dei.

El dictador, que nunca visitó la Bolsa, al fin se dejó convencer de que el futuro tendría que ser de los técnicos y no de los falangistas. La batalla la había ganado Laureano López Rodó, el superministro de Economía, encargado, con la mediación de Carrero, de amueblar de ideas desarrollistas el cerebro de Franco. Tres planes de desarrollo de duración cuatrienal, inspirados en el modelo francés, que a su vez había plagiado de reojo el dirigismo soviético, señalan el camino elegido por España para abandonar su reducto de marginalidad y meterse en el club de los privilegiados como décima potencia industrial del mundo. Los responsables del desarrollismo utilizaron, por vez primera, la pu-

El bienestar, a la larga, se convirtió
en subversivo. Los que vieron
desde un comienzo el peligro fueron
los falangistas no asimilados,
los joseantonianos radicales.

blicidad económica para crear una conciencia de progreso y prosperidad que hiciera olvidar cualquier déficit político del régimen y su radical arbitrariedad.

Entusiastas o no del nuevo modelo económico, Franco y su lugarteniente Carrero habrían de permitir que su régimen pasase a la Historia como el del crepúsculo de las ideologías. López Rodó, el principal impulsor del desarrollo, llegó a prescindir sin pudor de cualquier preocupación o interés político, convencido de que la democracia tenía más que ver con la subida de la renta per cápita que con el supuesto ideario del régimen. Confiaba el gobierno, pero mucho menos Franco, en que la clase obrera o los nacionalismos catalán y vasco relajarían sus puños a imitación de los satisfechos consumidores europeos en cuanto el dedo del dólar acariciase sus nóminas. El lenguaje político de Franco manifestado en sus discursos de inauguración y fin de año fue incorporando la jerga economicista que tan mal le sentaba, bien es verdad que, las más de las veces, hacía un popurrí con ingredientes históricos y nacionalsindicalistas.

Sin embargo, al impulsar el régimen la creación de una sociedad materialmente satisfecha, gracias a la liberación gradual de la economía, desató también entre los españoles el anhelo de una verdadera libertad política, social y sindical. El bienestar, a la larga, se convirtió en subversi-

vo. Los que vieron desde un comienzo el peligro fueron los falangistas no asimilados, los joseantonianos radicales, que durante todo el decenio de los sesenta protagonizan incidentes de tono menor. «Esos que tienes a tu lado… échalos, échalos, que no te ayudan nada, que más bien te perjudican», se atrevieron a gritarle a Franco cuando salía de su basílica-panteón de Cuelgamuros acompañado de sus ministros.

Hasta mediados los sesenta, Franco gozó de la buena salud que sus hinchas alardeaban y cuya imposibilidad de explicación por razones puramente naturales constituyó la tesis de un filósofo escolástico. Pero desde esos años y con simultaneidad a las exageraciones de los propagandistas sobre su fortaleza, fueron manifestándose signos palpables de su decadencia física. De esa época arranca el mal de Parkinson, reconocido oficialmente mucho más tarde pero evidente en su temblor de manos, en el apergaminamiento facial y en la caricatura de voz por él emitida. En paralelo a este desgaste, el Caudillo fue limando los rasgos menos indulgentes de su figura y adquiriendo el aire bondadoso de un anciano frágil y necesitado, de un viejo humilde que apenas musita por no molestar. Además, Franco, que siempre había sido de lágrima fácil, cada vez más, rompe en sollozos de emotividad patológica, en situaciones no controladas. Tanta fragilidad escénica con-

Los años sesenta confirman la legitimación definitiva e irreversible de Franco en el exterior.

fundió a muchos de sus opositores, que hicieron popular aquel desiderátum «de este año no pasa», referido a la jubilación eterna del dictador.

Los años sesenta confirman la legitimación definitiva e irreversible de Franco en el exterior. Nuevos acuerdos con Estados Unidos suscitan recelos en el falangismo, heredero de la fobia antiamericana del 98, pero robustecen las buenas relaciones con el imperio a pesar de la mediocre idea que tenía Franco de sus valedores del otro lado del Atlántico. Unos infantiles, solía considerarlos el dictador con exceso de suficiencia hispanoeuropea. Los diplomáticos de Franco tienen instrucciones de tratar como de la familia a las monarquías árabes, cuyos representantes son parroquianos del salón de visitas de El Pardo y de las cacerías andaluzas o manchegas, organizadas en su provecho. Con Marruecos tuvo que emplearse a fondo el Caudillo para frenar la ambición de un Hassan II decidido a hacer méritos ante sus sufridos súbditos a expensas del Sahara español.

Pero donde Franco buscó desquitarse a fondo y sacarse la espina del nacionalismo español humillado fue en la inagotable cuestión de Gibraltar. Cuando en 1967 la ONU dio la razón a sus argumentos descolonizadores en contra de la postura británica, el Generalísimo se sintió feliz y más aún su jefe de la diplomacia Fernando Castiella, el ministro de Asunto Exterior, así llamado por su fijación obsesiva en el Peñón. Franco podía presentarse orgulloso ante la opinión pública patriótica que él mismo había creado, aunque la resolución del alto organismo internacional engrosase, al punto, su ya larga lista de amagos e ineficacia. La negativa de Gran Bretaña a devolver la soberanía española del Peñón impuso restricciones fronterizas y presiones económicas que no harían sino reforzar los sentimientos probritánicos de los gibraltareños. Denunciado el imperialismo en el ojo ajeno, España tuvo que mirarse al suyo propio y conceder precipitadamente la independencia a Guinea en 1968.

A pesar de que España se parecía cada vez más a una moderna sociedad de consumo, las opiniones políticas de Franco no habían evolucionado al ritmo del progreso material y cultural de su país. Cuando en 1962 el Mercado Común entornó la puerta por donde quería colarse el gobierno franquista sin asumir el peaje de las libertades políticas, Franco reaccionó al uso, simulando desinterés y presentándose como víctima de una conjura internacional. Animada por el rechazo europeo al régimen y por la escalada huelguística de Asturias y el País Vasco, la oposición antifranquista cobra aliento, al tiempo que busca apoyos y simpatía en el exterior. Tras una época de desavenencia, los partidos republicanos habían empezado a agruparse

Todos los conflictos obedecieron a una razón inapelable: la incapacidad de un régimen anquilosado para responder a las demandas de una sociedad cada día más abierta y renovada.

alrededor del proyecto de unidad europea y a tender puentes a las fuerzas monárquicas y democristianas. Como manifestación de esta estrategia unitaria, un centenar largo de delegados procedentes de la Península y el exilio se reunieron en Munich para denunciar la naturaleza autoritaria del régimen y exigir garantías democráticas antes del ingreso de España en el Mercado Común. Franco estaba bien enterado por la policía de los nombres de los conspiradores, pero la presencia de Gil-Robles en la ciudad bávara lo sublevó. «¡Qué pronto se ha olvidado —comentó furioso— de que una de las víctimas señaladas después del asesinato de Calvo Sotelo iba ser él, que se libró de milagro!» Luego llamó a su ministro de Información, Arias Salgado, para que desplegase una campaña de apología del régimen y, sobre todo, de desprestigio de la oposición. La histeria gubernamental alcanzó entonces difíciles plusmarcas, en tanto que el huero ideario de Franco se perfeccionaba con sus escarnios al liberalismo, tildado de inútil y putrefacto.

Aunque Franco y su régimen seguían manteniendo un alto grado de adhesión y el consenso pasivo de una mayoría de ciudadanos, la conflictividad, a lo largo de los años sesenta, fue importante en cuatro ámbitos de la vida española: laboral, estudiantil, eclesiástica y regional, fundamentalmente vasca. Y todos los conflictos obedecieron

a una razón inapelable: la incapacidad de un régimen anquilosado para responder a las demandas de una sociedad cada día más abierta y renovada, cuyos anhelos de libertad seguían sometidos a una rigurosa abstinencia. El movimiento obrero rompe las barreras del sindicalismo vertical y no acepta los remiendos que los gobiernos franquistas tratan de poner bajo la forma de una nueva ley sindical. De espaldas a la realidad y en plena efervescencia proletaria, Franco y sus ministros resultan figuras anacrónicas, a veces cínicas. «Todo es representativo en la Organización Sindical de abajo arriba. ¿O es que no soy representativo yo, que no tengo otra misión que hacer oír la voz del sindicalismo en el seno del Gobierno?», llegó a manifestar con toda desvergüenza el titular de Sindicatos.

La incorporación a las aulas de nutridas generaciones de profesores, reclutados por sus méritos intelectuales y no políticos, junto con el aumento galopante de alumnos, hacen perder al franquismo el control de la universidad, cuya sacudida no concluye hasta la extinción del dictador. Éste murió convencido de que las revueltas universitarias, que amargaron sus últimos años no eran más que «pequeñas algaradas estudiantiles que obedeciendo a consignas comunistas fomentan en el mundo sus agentes». La innovadora Ley de Educación, aprobada en 1970, repleta de propósitos tan encomiables como la igualdad de opor-

«El Papa no nos quiere, no quiere a España», confesó entristecido al cardenal Tarancón.

tunidades para todos los jóvenes españoles y de indudables reformas técnicas, no podía satisfacer las aspiraciones de los estudiantes, necesitados ya de respuestas políticas, que el régimen no estaba dispuesto a dar.

Como ocurría en el mundo laico, los enfrentamientos ideológicos y generacionales, a los que se intenta camuflar bajo el nombre de pluralismo, erosionan y dividen la Iglesia, cuya contestación interna acaba siempre por coincidir con la diferente actitud respecto del franquismo. La frontera de la división no estaba ni en el Concilio ni en el criterio más o menos abierto de los opinantes sino sencillamente en su mayor o menor adhesión al régimen. Un jarro de agua fría fue para Franco la llegada del cardenal Montini al solio pontificio bajo el nombre de Pablo VI y hasta un periódico italiano aventuró que el Caudillo había pedido a los purpurados españoles que entorpecieran su elección. Los malos augurios del dictador se cumplían pronto al destapar el papa su propósito de sabotear el integrismo del viejo episcopado español, en el que se parapetaba el régimen. Más tarde, en 1969, un discurso del Pontífice incluía España en una lista de países con carencias de falta de libertad y en los que era urgente la promoción de la justicia social. Franco no se atreve a manifestar en público su desilusión, pero en privado critica a quien indispone a la Santa Sede contra el régimen. «El Papa no

nos quiere, no quiere a España», confesó entristecido al cardenal Tarancón. Mientras tanto la policía sigue de cerca el activismo del clero joven que, con las constituciones del Vaticano II y las últimas encíclicas sociales en la mano, reclama el derecho de la religión a tomar partido contra la dictadura.

En el mismo escenario de progreso económico y bienestar, mucho más apreciable en el País Vasco y Cataluña, se recrudecen los movimientos nacionalistas de las pequeñas burguesías regionales, alentados por la izquierda, que vio en su causa una forma de combatir el centralismo obcecado del franquismo. Sin embargo, es la organización independentista ETA la que se convierte en el principal problema del régimen al decidirse por el terrorismo y conseguir vincular la conciencia vasca al sentimiento antirrepresivo y la repulsa a los agentes de la represión.

Franco tiene setenta y ocho años cuando termina la década. Ha hecho que las Cortes nombren al Príncipe Juan Carlos sucesor en la jefatura del Estado, una vez asegurado su compromiso con la nueva monarquía del Movimiento y después de jugar con toda suerte de ambigüedades, entre ellas la de alimentar, durante algún tiempo, las ilusiones dinásticas del pretendiente carlista Carlos Hugo de Borbón Parma, que luego de interpretar su papel en el guión de Franco fue expulsado de España. En

A ratos lúcido, a ratos infantil,
el Caudillo no se da cuenta
de que bajo el caparazón trasnochado
de su régimen, España, por fin,
se había hecho mayor.

política exterior, el éxito le acaba de sonreír. Aunque no aparece en el horizonte la admisión de pleno derecho, la Europa por antonomasia, la del Mercado Común, ha abierto parcialmente sus puertas a España mediante un acuerdo preferencial que permite a los productos españoles acceder a los mercados europeos, sin someter la economía interna a un fuerte incremento de la competencia.

Cada vez más apagado, el dictador sigue conservando todos los poderes, pero no parece poder asumirlos en toda su plenitud. Entre bambalinas, su familia amplía su influencia sobre Franco y no desaprovecha la oportunidad de entrometimiento que le ofrece la falta de defensas del dictador y su manifiesto deterioro. A ratos lúcido, a ratos infantil, siempre desconfiado, el Caudillo no se da cuenta de que bajo el caparazón trasnochado de su régimen, España, por fin, se había hecho mayor a golpe de modernidad y era un país laico con una ética civil manifestada en el respeto de los derechos de la persona y una mayor tolerancia en las relaciones sexuales.

▲ Autoridades provinciales guipuzcoanas rinden pleitesía veranie-
ga a Franco. Los frontones y otros lugares del retiro folclórico vasco
sirvieron en numerosas ocasiones para mostrar al Caudillo la «adhesión de las tierras y hombres de España». El dictador, un entusiasta
del ocio donostiarra, sonríe complacido ante las explicaciones, mientras los cestapuntistas alineados en protocolaria fila escrutan aten-
tamente los gestos de su satisfecho rostro. Afuera en la calle la gente empezaba a inquietarse. Sólo un mes antes, unos activistas de ETA
habían intentado descarrilar no muy lejos de San Sebastián un tren
de ex combatientes. Años después, en este mismo frontón, un nacionalista vasco tratará de inmolarse a la moda bonzo ante los ojos
de Franco.

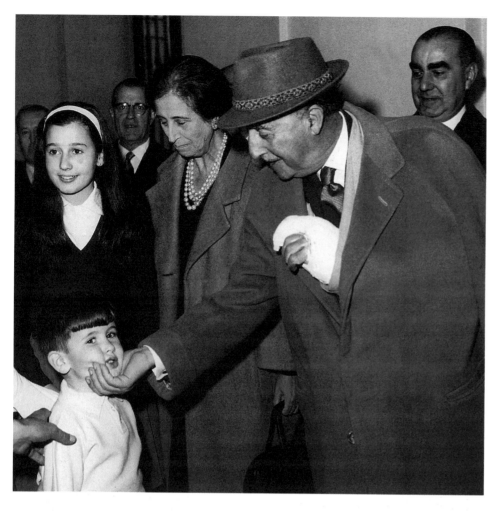

Franco acaricia a su nieto en presencia de otros familiares y miembros del gobierno. Por el cuello del abrigo asoma la mano vendada a consecuencia del accidente de caza de diciembre de 1961, que disparó las alarmas sucesorias. Aunque las primeras especulaciones hablaron de un atentado, lo cierto es que el reventón de su escopeta de caza fue sólo un accidente fortuito. Pero suficiente para inquietar al gobierno y demás profesionales de la sucesión, que empezaron a presionar con el objeto de hacer efectivas las previsiones de la Ley de 1947, que permitía a Franco designar al próximo jefe de Estado.

Valencia, otrora último reducto republicano, fue una de las capitales que contaron con una estatua ecuestre del Caudillo, actualmente sustituida. Ciudad agradecida, entre las citas obligadas del recorrido triunfal franquista, la del Turia acabó siendo una etapa habitual. Allí, un franquismo de provincias y traje de pana se concentraba bajo los naranjales para escuchar la salmodia de Franco con la explicación de las virtudes de su régimen y los pecados eternos de los enemigos de España. Era la señal de partida de aquellos veranos de emigrantes y seiscientos, donde los turistas cambiaban divisas por sol y sangría mientras la España peregrina esperaba lejos el final de la pesadilla.

Los caballeros de la orden militar de San Hermenegildo con Franco a la cabeza recorren el claustro grande del monasterio de San Lorenzo de El Escorial camino de la sala donde celebrarán su capítulo, junto a las reliquias del adelantado del catolicismo español, el príncipe mártir que da nombre a la cofradía. Con cara de responsabilidad, el heredero de Felipe II avanza entre los frescos de Peregrino Tibaldi que recuerdan la historia de la redención mientras su comitiva, más relajada, acepta su papel de comparsa. Sólo a Franco le corresponde velar por la salvación de España, aunque en el cumplimiento de su oficio deba apoyarse en la cruz y la espada de los que aquí le acompañan.

Los mensajes de fin de año, profusamente utilizados en todo el mundo occidental desde el desarrollo de la televisión, pretenden dar una imagen serena y equilibrada de los gobernantes. Salvo por las alusiones a la oposición, denostada y demonizada, cada aniversario, la puesta en escena alterna una imagen de trabajo con un clima hogareño. No se trata de un escenario pretencioso sino cuidadosamente limpio y sencillo. Mesa con libros y crucifijo, cortinas blancas para lavar la imagen de fondo, gesto tenso y mirada al frente, leyendo las grandes letras del cartón de un discurso siempre previsible.

▲ Las habituales recepciones en el despacho oficial de Franco incluían un buen porcentaje de militares, que se cuadraban, golpeaban sus tacones y sólo después accedían a la mano amistosa del dictador. Si las visitas eran fotografiadas, Franco asimilaba su ropa y su gesto al visitante. Con Camilo Alonso Vega podía haber usado una menor dramatización, al tratarse de un viejo y fiel compañero de armas, pero Franco y sus asesores no descuidaron jamás los detalles de la jerarquía y el mando, a pesar de que, gracias a «Camulo» y a media docena como él, pudo el Caudillo sostener la victoria hasta límites impensables.

◄ En 1962 todo estaba creciendo. Los primeros índices fiables decían que el progreso material podía ser un hecho, la generación de nacidos en la dilatada posguerra se ponía de largo, bien que para una ceremonia eucarística, trascendental en los niños de aquellos años. Gracias a la devaluación de la peseta y a la tolerancia de costumbres extranjeras, las grandes avalanchas de turistas dejaban miles de dólares con los que compensar la balanza comercial, poder alternar en clubes exclusivos, como el Fondo Monetario Internacional, y pagar mejores trajes de comunión. La iconografía familiar de los Franco era otro de los ingredientes nacionales de la época. Centrada en la figura del Jefe, apañada con mantilla española y mejorada con los felices rostros infantiles, los inquilinos de El Pardo se esforzaban en ofrecer una imagen modélica de la familia.

▼ Para los españoles, Filipinas era sólo un recuerdo triste de un Imperio imposible y una guerra, encinta de lúgubres presagios, que revolviera la infancia de Machado. Los últimos de Filipinas morían en las páginas de los periódicos y los estudiantes memorizaban los nombres de Elcano, Legazpi y Urdaneta asociados al descubrimiento, conquista y colonización del archipiélago asiático. Pero nada sabían de su rico suelo expoliado por los americanos, sin que sus frutos pudieran aprovecharse de forma igualitaria ni mitigar el vómito demográfico. Cuando llegó a Madrid el presidente filipino Diosdado Macapagal, el dictador lo recibió como un hijo de la colonia, mostrándole la grandeza de la patria y lo que se habían perdido los suyos al romper con España.

▲ Nuevo gobierno en julio de 1962 pero más de lo mismo. Con el argumento de sus éxitos económicos y el respaldo de los yanquis, Franco se reafirma en su estrategia fundamental. Los cambios introducidos son aparentes y no implican alteración alguna del carácter dictatorial del régimen que ahora se entrega a desarrollar y a liberalizar la economía sin aflojar del todo la tenaza del Estado. Los tecnócratas del Opus Dei ascienden irresistiblemente con fichajes de buena planta y seductores, al tiempo que anulan al falangismo que, entre dientes, llama a Franco traidor. Siete militares son una nómina pesada para un gobierno pero necesaria para Franco, contento con premiar fidelidades y asegurar defensas. Junto a ellos, Manuel Fraga, un catedrático de Derecho de brillante porvenir, encargado de acicalar el régimen desde un ministerio que lo mismo entendería de paradores y turistas que de periodistas multados.

▽ Franco y su mujer reciben los honores danzantes a la salida del canto de la salve en la iglesia de Santa María de San Sebastián, dentro de sus fiestas de agosto. Los veranos donostiarras del Caudillo fueron constantes desde el primer año de la victoria. A bordo de su yate, el Generalísimo seguía siendo el vigía de Occidente en el limes vascón, contemplaba las regatas o recibía abundantes adulaciones provinciales. La aristocracia le prestó el palacio de Ayete (quién sabe a cambio de qué), la buena sociedad de la próspera bahía se disputaba los primeros lugares en banquetes y recepciones mientras los gobernadores civiles limpiaban las calles de opositores.

▲ La caza, como resto de agrestes aficiones y violento ocio de militares en paro, fue uno de los deportes obsesivos del general sin guerra. Miles de ciervos, faisanes, perdices, patos y otros cientos de aves, estratégicamente colocados en los cómodos puestos de disparo, vinieron a satisfacer los deseos de pólvora con que Franco iba sobrellevando su paz. Las partidas del Generalísimo sirvieron para popularizar el ocio cinegético y también para congregar a inexpertos deportistas, industriales o financieros que aprovechaban los fines de semana monteros para negociar subvenciones y favores o colocarse ante eventuales cambios ministeriales.

▼ La Junta Nacional del IV Centenario de la Reforma Teresiana con los gobernadores de Ávila y Salamanca rinde cuentas a Franco. En aquella España nacionalcatólica, el culto a los santos también se pasó por el cedazo patriótico y el de santa Teresa, en verdad, dio mucho juego a los ideólogos y predicadores franquistas. Tanto que fue acumulando patronatos —Intendencia Militar, Sección Femenina de Falange— hasta convertirse en Santa de la Raza, aunque para ello hubo que disimular su condición de nueva cristiana. Como modelo masculino de santidad, Ignacio de Loyola tenía, asimismo, mucho terreno abonado: capitán vasco de la Castilla imperial, fundador español de una orden esparcida por el mundo entero. En distintas ocasiones, el brazo de la doctora mística y el cráneo del jesuita recorrieron triunfalmente el país.

▲ Los viajes de Franco a Cataluña y el País Vasco siempre fueron motivo gráfico importante y preocupación para los cuerpos de seguridad. A medida que se producía el relevo generacional entre los nacionalistas, la contestación a estas visitas subió de tono. Como contrapartida, los asesores de imagen de El Pardo imaginaban los gestos que más pudieran agradar a los ciudadanos bienpensantes de ambas regiones. Profundamente religioso y convencido de que su propia vida y trayectoria histórica eran una prueba de la providencia divina, Franco unió actitudes políticas inflexibles con acciones de religiosidad popular convenientemente divulgadas. Aquí besa a la Moreneta de Montserrat, devoción que le venía de muy antiguo, y congrega muchedumbres y entusiasmos en Barcelona.

El gran acontecimiento social de los años sesenta en España fue la boda ateniense del Príncipe Juan Carlos con Sofía, hija del rey Pablo de Grecia. Hubo algunos problemas preliminares entre Estoril y El Pardo, pero Franco puso el mayor empeño en solucionarlos con tal de que el enlace confirmase la mejor posición del novio frente a su progenitor don Juan en la pugna por la corona. «Yo os aseguro, Alteza, que tenéis muchas más probabilidades de ser Rey de España que vuestro padre», manifestó el dictador al Príncipe cuando recibió su invitación de boda. No asistió Franco, si bien envió regalo y al ministro de Marina en el histórico crucero *Canarias*. La prensa española recibió órdenes precisas de cómo informar y a quién silenciar, aquel 14 de mayo de 1962. Al año siguiente, el padre de la novia estrecha vínculos con Franco.

Ningún aspecto de la vida popular quedó sin registro en la imaginería franquista. La distendida charla con Manuel Benítez *el Cordobés*, «el torero del desarrollo», uno de los mitos populares de la época, presenta a Franco haciendo algún comentario que el diestro escucha con respeto y simpatía nada fingida. El varón de la Andalucía humilde, con siglos a cuestas de un hambre que daba cornadas, sentado junto al jefe del Estado y dos vasos delante, sin atreverse a colocar los codos sobre la mesa, representa la España irredenta que encontraba su destino en campos de fútbol, rings de boxeo, redondeles de albero o emprendiendo el fatigoso camino de Alemania.

Poco a poco, los planes sucesorios se iban cumpliendo. Los acuerdos forzados, entre Franco y don Juan, habían hecho del pretendiente un aspirante de segunda división, mientras que su hijo, educado políticamente en España, era el favorito de Franco. Desde la boda de Juan Carlos con la Princesa Sofía de Grecia, ya instalados en Madrid, se pudo ver a los Príncipes junto al dictador en las recepciones oficiales, en los actos de interés nacional o en los momentos de crisis del régimen. Aunque es posible que los caminos, igual que las miradas de la foto, siguieran direcciones distintas y no previstas en la estrategia del «atado y bien atado».

▲ La casa real española envió a Franco ayudas millonarias durante la guerra. Esperando heredar los frutos de la pacificación sangrienta del 36, don Juan hizo profesión de soldado, falangista y demócrata. Pero en 1947, una Ley Sucesoria que Franco tuvo la habilidad de someter a referéndum disipó las aspiraciones del pretendiente. El titular de la Corona tuvo que aceptar su derrota y negociar la supervivencia de la monarquía en la persona de su hijo. Las contadas entrevistas que el dictador permitió al aspirante fueron tensas y desconfiadas, utilizadas por Franco para afianzar su posición y desacreditar la del tercer hijo varón de Alfonso XIII, eterno mendicante de un trono que Franco no dio a nadie, argumentando que ni el régimen derrocó a la monarquía ni estaba obligado a su restablecimiento. El bautizo de la primera hija del Príncipe Juan Carlos permitió uno de los raros encuentros.

▼ Veinticinco años después de aquel abril de 1939, Franco seguía saludando a sus tropas en el desfile intimidatorio del paseo madrileño que llevaba su nombre. La fiel infantería o las no menos adeptas unidades de las Fuerzas de Orden Público, que completaban el alboroto de la victoria, recordaban cada año a los vencidos su triste suerte y la inutilidad de intentar cambiarla. Tribuna de militares y cuerpos armados, restos de la guerra civil y todavía forcejeo entre conflicto o desarrollo, sobresale en ella la figura del futuro rey, eslabón elegido para unir pasado y futuro. Todo parecía garantizar la continuidad de un régimen que se creyó eterno y se quedó en vitalicio.

Como los faraones, Franco se construyó una gigantesca tumba, a la que de cuando en cuando acudía con la intención de no olvidar su propio destino y recordando a todos aquellos que le habían precedido en el viaje. Ni siquiera los veinticinco años de paz de 1964, uno de cuyos ideólogos, Fraga Iribarne, participa en el trío de sonrisas, cambiaron el negro ceremonial del Valle de los Caídos. El memento de difuntos realmente era para los adustos generales, que rodean las jerarquías del Estado, una renovación de victoria y vigilia. Y la cruz de Cuelgamuros no era la del descanso y la paz de los muertos sino la amenazante espada de un régimen que se esgrime contra los supervivientes y desafectos.

En la mejor calle de la villa «liberada», por donde desfilaban los gudaris durante la breve campaña del Norte, en el mismo sitio en que «Napoleonchu» Aguirre revistaba a sus improvisados batallones, Franco disfruta del sabor de su triunfo en el aniversario del 19 de junio de 1937. Los pelotaris vascos, precedidos de los muchachos de la sección de aeromodelismo de la OJE vizcaína, marcan el saludo cestapuntista en honor del campeador. Balcones y aceras abarrotados, griterío burgués y popular, arrogantes pendones requetés y falangistas representan a un Bilbao voluble y financiero, que se rinde, una y otra vez, al paso de las banderas del 18 de julio, a los suculentos negocios de la victoria.

▲ El marqués de Villaverde, el yerno que Franco jamás hubiera escogido, representó durante la dictadura la cara más frívola e irresponsable de una familia difícil de gobernar que se disolvió con rapidez, tras la muerte del Caudillo. A pesar de sus tensas relaciones se ha dicho que Villaverde vivió de Franco y se aprovechó de él más allá del óbito con la publicación de unas polémicas fotos del dictador agonizante. Habitual de clubs y lugares de baile, no es extraño que entre sus aficiones estuviera la de tener a sus hijas al día de los modernos pasos.

◄ Franco sigue recibiendo visitas de eclesiásticos prominentes, de regulares con supervisión de conciencias y mando, que de seguro no le ponen al día de sus primeros enfrentamientos con las últimas hornadas de los seminarios. Mientras éstos crujen y se agitan rompiendo el modelo ideológico y disciplinar al uso, la jerarquía, anclada en la seguridad de un saber fósil, no sabe responder más que con argumentos de orden. Llegan los primeros ecos del Vaticano II, en el que los obispos españoles hacen el ridículo con su modestísimo equipaje de reflexión intelectual y su repugnancia al pensamiento moderno. Un nuevo y decisivo itinerario, no obstante, se estaba abriendo en la Iglesia española, donde sólo la guerra civil había tenido un efecto mayor.

▼ Al abrigo de una cacería en tierras sureñas, el rey Hassan II de Marruecos se reúne con Franco para ver de calmar sus ansias expansivas a costa del Sahara español o lo que fuera. Asediado por huelgas y manifestaciones reprimidas con mano salvaje, el dictador norteafricano intenta desviar la atención hacia otras empresas más gloriosas. Soñaba también con Ceuta y Melilla, pero no se atrevió a confiar su locura a Franco. Al final, el Caudillo paró los golpes y el monarca amigo se tuvo que marchar a Marruecos sin ninguna de las piezas.

►► Los estamentos de la cultura y la enseñanza, con las universidades a la cabeza, compitieron en una penosa carrera de loas y adulaciones al Caudillo. Nombrado doctor en diferentes campus, sobra decir que la concesión de esta deferencia, como en otras ocasiones, no tenía correspondencia alguna con los méritos intelectuales de Franco, cuya afición por el ramo ningún panegirista se arriesgó nunca a glosar. El esperpéntico ritual, que las rancias vestiduras prestan a la escena, pone en su justo sitio, entre cómico y pretencioso, el discurso de Franco, provisto para la ocasión con ridículas bifocales.

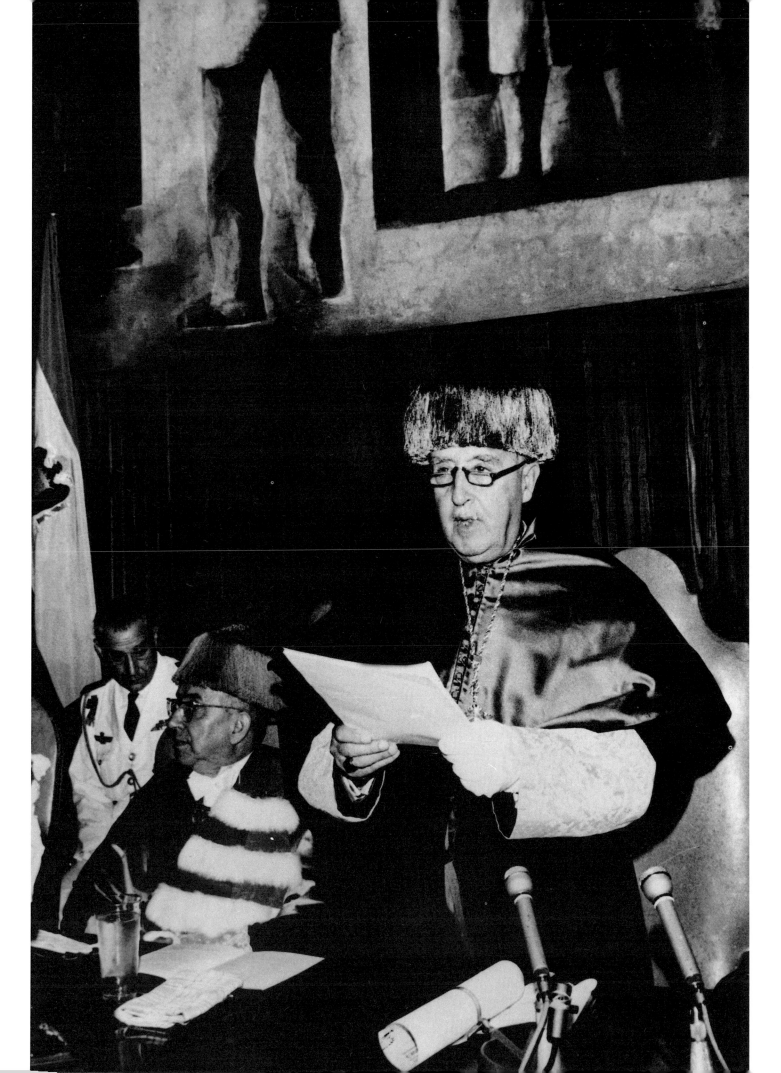

▲ Decorado habitual del despacho de Franco: carpetas amontonadas, informes pendientes, cumbres de papel. Franco observa a Ángel Herrera Oria, cuya sesuda crisma ha laureado con el capelo de cardenal. El «jesuita de capa corta», el católico civilizado que empleó Roma para entenderse con la República, el nuncio laico que cuando llegó el 18 de julio se quedó callado culmina su carrera sacerdotal, iniciada a los cincuenta años, después de dirigir *El Debate*. Ostracismo en la posguerra santanderina y frialdad en los obispos de la Cruzada. Sin embargo, con la llegada al Consejo de Ministros de sus hijos propagandistas, Ángel Herrera lava su pecado de tibieza y Franco le acoge entre los suyos, premiándole con la púrpura y el muaré.

▼ Además de con sus asuetos cinegéticos o con sus delirios políticos, se puede asegurar que Franco disfrutó con la infancia de sus siete nietos, a través de una relación afectuosa sincera, por lo demás ausente de otras parcelas de su vida. La arrobada mirada del dictador no deja lugar a dudas. Como tampoco la hay de la satisfacción del mitrado vicario general castrense, acompañando la alegría de Cristóbal Martínez Bordiú en su fiesta grande.

▲ Desde mediados de los sesenta, el tenis irrumpió en la vida española. Probablemente gracias a Manolo Santana, victorioso en Wimbledon, y a los partidos televisados, pero también por una decisiva diferenciación sociológica. Si los toros habían correspondido a la España anterior, agrícola y cañí o el fútbol pertenecía al Estado industrial centralista, el tenis, afición selecta de la burguesía, esfuerzo finolis vestido con ropa de marca, era una avanzadilla de los nuevos gustos de las clases medias europeizantes, más acordes con la modernidad que el Caudillo abraza y su mujer aplaude.

▼ Foto de Navidad y apertura de regalos en 1965. Una vez más, la actitud paternalista del patriarca, que aquí no es jefe del Estado, ni presidente del gobierno, ni siquiera militar en vacaciones, pretende ser modélica. Nietos mayores y nietos menores, más atentos al resultado de la obsequiosidad que a la foto encargada por su abuelo,

se reparten la escena de modo informal y espontáneo. Entretanto, Franco parece disfrutar comedidamente con el interés de su camada de nietos. Un árbol de Navidad «pagano» introduce en la vida oficial española la lenta derrota del Belén tradicional.

► Laureano López Rodó, el que fuera superministro de Economía, en traje de gala ministerial, junto al Franco orondo de los años sesenta. El crecimiento groso del país y la preocupación por el equilibrio económico del cerebro de los Planes de Desarrollo se conjugan en la instantánea. La eficacia del dólar y de la sociedad de consumo, amarrada por el fajín del militar que vigila con mirada prensil el acontecer del Estado. La generación de los López tecnócratas meterá en el saco doctrinal del régimen una nueva justificación de la dictadura. Los problemas políticos, la democracia, las libertades, los recuerdos de los vencidos pasarán a un segundo plano. El objetivo nacional era ya la renta per cápita.

▲ En plena euforia desarrollista, Franco visita Asturias con fines industriales, no de ocio pesquero en los ríos del salmón. A las tierras rojas y negras de la comuna revolucionaria, en los años cincuenta, había llegado el Estado franquista repartiendo pan y trabajo, por medio de empresas públicas que buscaban desarrollar su política autárquica. La principal región española productora de carbón tenía, desde 1956, una gran factoría de siderurgia integral, ENSIDESA, integrada en el INI, que dejaba atrás los Altos Hornos de Vizcaya en manos privadas.

◀ Resulta difícil saber si era verdad, como se decía, que algunos obispos llevaban la camisa azul de Falange bajo la sotana, pero casi puede asegurarse que tenían mejor comunicación con Franco y su obra que con la inteligencia de un evangelio puesto al día. Los sectores más conservadores de la Iglesia española, que fueron mayoría hasta los años setenta, gozaron de las audiencias del dictador y del monopolio espiritual más beneficioso de Occidente. El culto público, la educación religiosa y civil, el sermón, las bulas y la exclusiva sacramental no fueron inquietados hasta la Ley de libertad religiosa de 1967, que aprobó el gobierno a regañadientes en cumplimiento de la declaración conciliar sobre la materia. A cambio, Franco exprimió a modo el derecho de presentación de obispos, el palio real y otras gabelas menores. Pero mientras los mandamases de la Conferencia Episcopal departían afablemente, los fieles empezaban a caminar otras veredas. Sacerdotes obreros, curas rebeldes, militantes de izquierdas, políticos opositores, miembros de ETA... tenían como procedencia el seminario o las sacristías católicas.

▼ España todavía en blanco y negro. La televisión se hizo carne y, poco a poco, se quedó a vivir entre los españoles, poniendo la banda sonora de cualquier historia hogareña. Había nacido el 28 de octubre de 1956, víspera del aniversario de la fundación de Falange, como el ministro Arias Salgado se encargó de recordar a los asistentes al acto. Los años sesenta son la década prodigiosa de la tele, que cubre el ochenta por ciento del territorio en 1963 y, dos años más tarde, inaugura una segunda cadena. Llegan los premios con Massiel, convertida en heroína gracias a un pegadizo *La,la, la,* adjudicado a Joan Manuel Serrat, que se negó a cantarlo en castellano. Rodeado de notables del régimen, presentes y futuros, Franco inaugura unas instalaciones de TVE mientras el ministro Fraga sonríe satisfecho con su invento.

▲ La hermana del Ausente, una de tantas biografías fagocitadas por el régimen. Sin genio político, ni carácter agresivo, Pilar Primo de Rivera vegetó al frente del organismo femenino de Falange, una de las cumbres del machismo ibérico, «síntesis del fuego, el lar y el telar». Retiro prematuro y descanso institucional, desde donde no podía inquietar los planes de reconversión que el franquismo tenía para la supuesta revolución pendiente junto a los luceros. Franco, que ya no utilizaba sus prerrogativas como jefe de Falange, se permitió la unificación forzada de 1937 y mantuvo el gesto férreo contra cualquier disidencia de los azules, amargando a los irreductibles y compensando con habilidad a los posibilistas.

▶ Los dos poderes, convenientemente emperifollados, se escudriñan antes de enfilar la recta última del franquismo. El juego de las legitimaciones tuvo un precio y cuando a la Iglesia le pareció demasiado alto se aprestó a desandar el camino andado. En 1967, el reemplazo del nuncio Riberi por Dadaglio confirma que Roma tiene prisa por deshacerse de los compromisos adquiridos y en especial de algunos párrafos del Concordato. Pablo VI pide a Franco que renuncie al privilegio de presentación de obispos, sin contrapartida alguna, a lo que no accede quien es Caudillo por la gracia de Dios.

▼ A finales de los sesenta el sillón de visitas de El Pardo resultaba menos refractario para los viejos demócratas del continente. Adenauer, el líder histórico del movimiento europeísta y de los cristianodemócratas alemanes, ya en el final de su vida, engrosaba el desfile de personalidades que empezaban a avalar profusamente la España del turismo y de la rentable inversión de capitales. Es difícil suponer que esta visita mejorara el historial político del líder antifascista, pero no tanto que Franco se sirviera de ella en su carrera hacia una dictadura cada vez más consentida por los europeos del salón de visitas.

▲ Desde los años sesenta, Franco dedicaba cada vez más jornadas a las partidas de caza, su entretenimiento favorito, que a las tareas de gobierno. Mientras la propaganda oficial lo presentaba como infatigable trabajador que nunca abandonaba la vigilancia del Estado, era frecuente que se perdiese por los campos castellanos o manchegos en dilatadas campañas cinegéticas. Su pasión se satisfacía disparando cientos de cartuchos, cómodamente aposentado, al paso de palomas, perdices, faisanes y todo aquello que pudiera volar. Según ha escrito alguno de sus biógrafos, en esos años su hombro derecho era un sanguinolento hematoma permanente debido a los golpes de retroceso de su escopeta.

La religiosidad de los años cuarenta y cincuenta empieza a bañarse tímidamente de un sol de invierno. Y la sociedad española ya responde con desafecto y hedonismo al bombardeo nacionalcatólico anterior. Sin embargo, los rituales inevitables de misa dominical, confesión o procesiones de Semana Santa siguen protagonizando una España de cruzadas y misiones religiosas de tono menor. Palmas, rosarios, devocionarios y seriedad contenida en los mayores, mientras los niños parecen divertirse con su colocación en el desfile procesionario.

El arzobispo de Madrid, Casimiro Morcillo, bendice ampulosamente las instalaciones de la Universidad Laboral de Alcalá de Henares ante Franco y una troika de ministros, se supone implicada en el proyecto, y con la ausencia del de Educación. Hasta los años cincuenta, las enseñanzas profesionales habían estado en España muy desorganizadas y desatendidas, pero los gobiernos del desarrollo conseguirán acortar el retraso con la apertura de numerosos centros de capacitación y aprendizaje. En el final de su vida, el mitrado Morcillo perderá la púrpura principesca de la Iglesia a causa de sus buenas relaciones con el régimen, al que la Santa Sede hizo pasar el bochorno de no aceptar su propuesta de distinción para él.

Franco rodeado de las mujeres del Reino, aña incluida. Las caras circunstanciales no parecen muy acordes con el acto que se celebra: el bautizo de Felipe de Borbón, en pleno verano del 68. El actual Príncipe de Asturias pertenece al *baby boom* español y es de suponer que vendría con algo más que un pan bajo el brazo, aunque el gesto adusto de Franco y su familia no parezca indicarlo. Sin visibilidad en la foto, el acontecimiento paralelo que el régimen dejó entre bastidores fue la presencia en España de la reina Victoria Eugenia, viuda de Alfonso XIII, con el consiguiente hormigueo político-emocional en el mundillo monárquico.

La compostura del historiador Pabón se rompe en medio de la distendida charla con el dictador. Posiblemente Franco no era la persona más graciosa de la reunión, pero no le hacía falta. Tenía suficiente con ser la más poderosa. Cualquier forma de adulación era válida en las trastiendas del régimen, donde una palabra a tiempo, una mirada, un nombre sugerido y más una carcajada podían cambiar la vida y el destino de las personas. Además, la familiaridad de la situación con ruptura evidente del protocolo nos descubre a un Franco inédito, muy lejos de su inexpresividad habitual.

▲ Leopoldo Calvo-Sotelo, a la sazón cabeza de Renfe, saluda grandilocuentemente al Caudillo en presencia del «ministro eficacia» Federico Silva Muñoz durante la inauguración de la línea férrea que une Madrid y Burgos, evitando el rodeo por Valladolid. La reducción del tiempo de viaje al País Vasco y la frontera francesa era una vieja aspiración de muchos años atrás pero alcanzada en un bienio de trabajos intensos, aguijoneado el gobierno por las críticas de abandono en materia de obras públicas, procedentes de las provincias norteñas.

▼ El desgaste profundo de las relaciones Iglesia-Estado en España desemboca a partir de 1969 en una situación de desavenencia continua, representada del lado de la jerarquía por los movimientos del cardenal Vicente Enrique y Tarancón, arzobispo de Toledo, a la espera de un relevo en la diócesis de Madrid. Ha llegado el futuro y Franco parece adivinarlo, cuando escucha las palabras del simpático gerifalte, cuya última remontada en el escalafón eclesiástico no dejaba de inquietar al régimen. Lo de la separación de la Iglesia y el Estado le sonaba a Franco a música muy poco celestial.

▶ Espléndida instantánea que nos muestra uno de los grandes momentos de poder y gloria del dictador. Ceremonia de felicitaciones y halagos en el aniversario de su elección como jefe de la Junta militar sublevada. El almirante Carrero inclina una cabeza que tantas cosas simbolizaba entonces. Franco recibe el saludo con ojos semicerrados, en un rictus que parece querer recobrar el sabor del tiempo pasado. Sobrecargados trajes de gala, lujosos tapices, muebles, alfombras... Sin embargo, todo se aleja de la austera ceremonia militar del 36, en la que Franco recibió, en un barracón militar, una encomienda que no devolvería nunca.

Poco se sabe de las relaciones personales de Franco con su yerno Martínez Bordiú, marqués de Villaverde. Es posible que la ignorancia o la vista gorda que parecía practicar el Generalísimo ante algunas de las aventuras del marquesísimo fueran el resultado de un convenio en el que éste perdió la compostura, además del apellido. Verdadero personaje de opereta e intriga, en aquellos tiempos de silencio siempre se habló de sus negocios y monopolios, más o menos fraudulentos, de sus prerrogativas médicas y, al final, de su enemistad con el Príncipe o sus maniobras para alterar los planes sucesorios.

Tras la jura del Príncipe, muchos españoles tienen la sensación de que el horizonte político estaba despejado. Quedaban, no obstante, las espadas en alto para dilucidar la batalla de la apertura o cerrazón del régimen. Antes de que un nuevo gobierno dejara entrever el mañana, la divulgación del escándalo MATESA puso contra las cuerdas a los tecnócratas del Opus Dei, hostigados por la alianza Solís-Fraga. La crisis tuvo un desenlace sorprendente al despedir Franco a los ministros acusadores y constituir casi un gobierno monocolor tecnocrático, con miembros de la Obra y simpatizantes.

La sucesión juancarlista fue uno de los momentos clave de la política española de finales de los sesenta. Pieza esencial, junto a Carrero Blanco, en el sueño de un franquismo sin Franco, el Príncipe se tragó el sapo de la jura de las Leyes Fundamentales y del continuismo de la dictadura con una teatralidad estudiada, que nadie podía sospechar escondiera otras intenciones. A pesar de ello, las Cortes se mostraron satisfechas, aunque no unánimes. El futuro rey bisagra, que dijera Carrillo, había empezado con el paso cambiado. La oposición le pagó con un decenio de desconfianza y fastidio.

▲ Si recibió a Adenauer vestido de general, a De Gaulle lo hizo de civil. Caprichos del protocolo o de los designios personales de alguien que muchas veces se consideró semejante a Napoleón y superior al mariscal francés. Dos militares, dos hombres «providenciales» que, cada uno a su manera, impusieron su estilo cuartelero en dos sociedades que a finales de los sesenta habían olvidado los tambores. El arrogante mandatario galo no quiso salir de este mundo sin conocer de cerca al dictador español, algo que, no obstante, evitó mientras fue jefe del Estado de Francia. También se cuidó mucho De Gaulle de dejar traslucir la sintonía de la visita, despachándola con un comentario menudo: «El salmón estaba delicioso, pero ¡cómo ha envejecido Franco!»

▶ La dictadura no tenía necesidad de fingir una falsa y formal separación de poderes, como sucede en las democracias. Los cargos judiciales dependían del Ministerio de Justicia, la promoción de magistrados era vigilada y controlada, mientras que los miembros de los altos tribunales juraban algo más que las Leyes del Movimiento. El ejecutivo, con su Caudillo al frente, era el verdadero poder fáctico de un sistema cuyo totalitarismo no sólo podía observarse en los discursos sino también en los considerandos y sentencias judiciales.

▽ En octubre de 1970, el presidente de Estados Unidos, Richard Nixon, rinde visita oficial a Madrid con el objeto de prorrogar los acuerdos hispano-norteamericanos y reforzar una alianza que el falangismo radical consideraba afrentosa. Sin llegar a la movilización de cuerpos y almas del recibimiento a Eisenhower, la acogida al mandatario yanqui fue lo suficientemente popular y calurosa como para que éste se volcase en elogios a Franco y al desarrollismo español, en el que también estaba comprometido el capital americano. La sonrisa telegénica de Nixon rejuveneció al dictador unos cuantos años.

◀◀ A pesar de la enésima y definitiva defenestración de Falange en el gobierno monocolor de 1969, Franco mantuvo imperturbable los rituales de la memoria vencedora. Hasta el final, el dictador siguió jugando con la España de los caídos y disfrazándose con el sudario negro del pasado. El atrezo del feísmo franco-falangista, indispensable en las ceremonias de brazo en alto y cara al sol, no aliviará, sin embargo, la tensión del momento, en el que algunos joseantonianos reprocharon a Franco, con gritos de traidor, el nacionalcapitalismo del régimen, implantado a costa del sacrificio de los trabajadores. Al fondo, el futuro de España aparece sombrío y circunspecto en la mirada del sucesor.

La democracia orgánica descansaba sobre los pilares de la familia, el sindicato y el municipio, colectivos que Franco consideraba más representativos de los intereses de los españoles que la mera individualidad ejercida mediante sufragio universal. Pero el sistema vertical de elecciones no consiguió nunca convencer a la oposición ni engañar a los observadores internacionales. Con todo, en 1970 la propaganda oficial pretendía que los comicios municipales eran el colmo de la perfección democrática. Nadie se los tomó en serio y la abstención alcanzaría cifras considerables a pesar del ejemplo cívico del dictador votando en su colegio electoral de El Pardo.

La plana mayor de un franquismo que intenta remozarse. Pasado, presente y futuro marcan el paso flanqueados por estrictos consejeros falangistas. La expresión aguileña de Torcuato Fernández Miranda, todavía con camisa azul, parece mirar al vacío de una transición irremediable, que sobrepasa la meticulosa disposición del desfile en el que el futuro rey, no por casualidad, ocupa la diestra del dictador, con Carrero Blanco como guardaespaldas sucesorio.

▲ Un tribunal militar de Burgos condenó a muerte en diciembre de 1970 a varios miembros de ETA. Una vez más, la presión internacional, la Iglesia y algunas de las cabezas más frías del propio régimen llegaron a un acuerdo salomónico. Franco sería aclamado en la plaza de Oriente por una multitud incontestable, cargándose así de magnanimidad y potestad para poder conmutar las penas capitales por cadenas perpetuas. Una solución inteligente que sirvió para aliviar la presión y calmar a casi todos. La aparente soledad de Franco en un frío balcón sobre una plaza que se desborda representa la asunción de todas las responsabilidades del momento y contrasta con la puesta en escena, cinco años más tarde, cuando en ocasión semejante el dictador estuvo arropado por el Príncipe y el gobierno.

Las lágrimas del régimen (1971-1975)

El año 1971 se abre con la resaca del Consejo de Guerra de Burgos, cuyo final feliz de clemencia e indulto irritó profundamente al sector más duro del régimen. Para atacar la pretendida debilidad del gobierno, algunos militares se desmelenaron con declaraciones contundentes, como la de aquel general que calificó al Opus Dei de masonería blanca y llegó a afirmar que el Evangelio incitaba a la subversión. Pero el juicio contra los militantes de ETA enfrentó no sólo al régimen con los obispos, sino que promovió una nueva división dentro de la jerarquía, al suscribir veintitrés prelados un manifiesto en el que condenaban toda injerencia de la Iglesia en la vista de la causa.

Un informe del Ministerio de Gobernación al Consejo Nacional del Movimiento confirma el desengaño del franquismo ante el viraje de la Iglesia, que «había dejado de ser el factor unificador de nuestra sociedad» y se mostraba incapaz de actuar como «neutralizador de nuestros demonios familiares». La Iglesia no estaba dispuesta a hundirse con la dictadura. Había llegado la hora de soltar las amarras y preparar el futuro. El hombre elegido para capitanear la reconversión política de la Iglesia es el cardenal Tarancón que, gracias a las maniobras del nuncio y a la obsequiosa docilidad de los obispos para con el Vaticano, consiguió llegar a la presidencia de la Conferencia Episcopal. Al franquismo le empezaba a faltar su principal punto de apoyo.

Como respuesta al giro de la Iglesia y entre los pliegues del piadoso régimen nació un curioso anticlericalismo, inédito hasta entonces en la historia de España, testimonio de una derecha defraudada que quiere vengarse de la traición de sus clérigos. «Tarancón al paredón» fue su manifestación menos caritativa. Por ello, mientras la Iglesia veía aumentar su prestigio en las filas de la oposición, los entusiastas de Franco y su obra la asediaban con sus reproches

La plaza de Oriente, con sus
muchedumbres desbordantes
y sus gritos ¡Franco, Franco, Franco!,
persigue vanamente remediar
la fragilidad del dictador.

y su agresividad. El dictador se queja en la intimidad, pero su doble Carrero Blanco lo hace públicamente, echándole en cara su ingratitud por los 30000 millones de pesetas que estimaba habían sido el montante de la subvención del franquismo a la Iglesia. Para castigar la infidelidad eclesiástica, la ultraderecha se organizó en grupos parapoliciales que, bajo el nombre de guerrilleros de Cristo Rey, procedieron contundentemente contra los sacerdotes y militantes católicos, acusados de progresistas.

Junto a estos justicieros del franquismo terminal, los curas integristas se organizan en Hermandades provinciales, en las que milita también algún obispo, cuyo desesperado propósito era mantener el Estado confesional y cuyo elemental mensaje podía compendiarse en menos democracia y más disciplina, menos sociología y más piedad. Como si las cosas no hubieran cambiado en el interior de la Iglesia, Franco preside ceremonias religiosas y hasta un Congreso Eucarístico Nacional, con ofrenda de la patria incluida, sin que la jerarquía pusiera reparos a estas exhibiciones de confesionalismo. Aunque no es santo de su devoción, el Caudillo prepara un borrador para expansionarse con Pablo VI, al que le hubiera gustado tenerlo en España y al que quiere transmitir su amargura por lo que él llama «puñalada por la espalda» de los curas contestatarios y de algún obispo torcido, manipulado por el nuncio.

Si a lo largo del franquismo la opinión pública venía siendo sustituida por la adhesión incondicional al dictador, esta maniobra se acentúa desde que Carrero Blanco toma efectivamente las riendas del gobierno a causa del aumento de los achaques de Franco. Los opositores, mientras tanto, tratan de defenderse como pueden del cerco informativo y buscan clavar algún rejón. Con el ojo puesto en Franco pero la letra en el general De Gaulle, un periódico alababa la decisión de retirarse a tiempo, pero caía, al momento, fulminado por la censura. La plaza de Oriente, con sus muchedumbres desbordantes y sus gritos ¡Franco, Franco, Franco!, persigue vanamente remediar la fragilidad del dictador, que en el trigésimo quinto aniversario de su exaltación al caudillaje se resiste a reconocer que su salud y Dios no le acompañan, condición que él mismo se había exigido para abandonar la dirección de la nave del Estado. Por si le entraban tentaciones, los aduladores, comprados o regalados, mantienen el nivel de halago y lisonja necesario para evitarle la percepción de la realidad de su régimen. Y, por supuesto, nadie desde las cunetas y las aceras del franquismo se atrevió a gritarle, como en el relato, que llevaba tiempo caminando desnudo.

Avalado por el éxito de sus predecesores, echó a andar en 1972 el III Plan de Desarrollo, que expresaba, mejor que cualquier declaración, el cambio de pautas y expectativas

«Desengáñese, Miranda, el franquismo acabará conmigo. Luego las cosas serán de otra manera.»

de la sociedad española. Mientras el progreso económico empequeñecía los márgenes de la España profunda, Franco y Carrero mantenían firme la creencia de que el país se encontraba amenazado por el comunismo y la masonería, de tal forma que su discurso en nada difería de la vieja proclama del alba franquista del 18 de julio. Algunos personajes del régimen sienten vergüenza de esta antigualla política y empiezan a moverse, buscando una convalidación de antifranquismo. Sin embargo, Carrero se mantiene en sus trece, inmóvil, frente al griterío y las demandas de apertura.

Contra toda evidencia, la propaganda del régimen no admite el deterioro físico de Franco, cuya figura espectral paseada por las ceremonias institucionales era el contrapunto tragicómico de su puesta en escena como afortunado pescador o hábil golfista. «Franco sigue rigiendo los destinos de nuestra Patria con mano firme y en plenitud de facultades», eran las palabras con las que mentían los voceros del gobierno, saliendo al paso de las especulaciones sobre la salud del dictador. En junio de 1973, no obstante, los achaques obligan al Caudillo a renunciar a sus funciones de jefe de gobierno en favor de su fiel Carrero. Su mandato era como mínimo de cinco años y, consiguientemente, su presencia podía serle impuesta al futuro rey, caso de producirse antes la muerte de Franco. El quinquenio garantizado al almirante fue la venganza del dictador, contrariado con las noticias que le llegaban sobre las simpatías liberales de Juan Carlos. No obstante, Franco no se hacía demasiadas ilusiones respecto de la perdurabilidad de su obra y, aunque quería convencerse de que «todo estaba atado y bien atado», sospechaba que su muerte traería consigo la liquidación de su régimen. «Desengáñese, Miranda, el franquismo acabará conmigo. Luego las cosas serán de otra manera», confesó un día a Torcuato Fernández-Miranda, que efectivamente pondría todo lo que estuvo de su parte para que ocurriera así.

Los dos problemas que hubo de abordar Carrero y su gobierno fueron los mismos que desde el comienzo de la década venían ocupando al régimen: el mantenimiento del orden público y la exigencia de una apertura, que debía manifestarse en la legalización de las asociaciones políticas. Su respuesta consistió en sujetar el asociacionismo y aumentar la represión. El 20 de diciembre de 1973, el control policial ejercido sobre la sociedad española y fundamento del orden público del que se vanagloriaba el régimen fallaba estrepitosamente por culpa de ETA, la organización terrorista que a lo largo del año había hostigado con terquedad a las fuerzas armadas. En esta ocasión apuntó alto, al jefe del gobierno Carrero Blanco, que caía asesinado en pleno corazón de Madrid. «Queremos des-

Franco no es más que una figura
poco decorativa en medio de
las contradicciones en que se debate
su régimen, sacudido por las enemistades
de las distintas familias políticas.

truir el mecanismo de la herencia que Franco se esforzó tanto en consolidar», fue la explicación que dieron los autores del atentado. A Franco, enfermo de gripe, la noticia de la muerte de su servidor le dejó completamente desolado. «Me han cortado el último lazo que me unía al mundo», comentó entre sollozos a uno de sus ayudantes. Al ver su abatimiento, el gobierno desechó la idea de que compareciera en la televisión, por considerarlo contraproducente para la serenidad de los ciudadanos. Días más tarde, en el mensaje de fin de año volvió a quebrársele la voz con el recuerdo de Carrero, pero su proverbial frialdad le jugó una mala pasada al reconocer que «no hay mal que por bien no venga».

El régimen consiguió salir airosamente de la prueba a la que le sometió el magnicidio, gracias a la habilidad de Fernández-Miranda y al propósito de la oposición comunista de evitar incidentes graves. La elección del sucesor de Carrero Blanco fue la última decisión política importante de Franco, en la que influyó, como nunca lo había hecho, su camarilla familiar. Se dice que Carmen Polo emprendió el abordaje, espetándole a su marido: «Nos van a matar a todos como a Carrero. Hace falta un pretendiente duro. Tiene que ser Arias. No hay otro.» El Caudillo, que no había pensado en el hombre que desde el Ministerio de Gobernación fue incapaz de evitar el atentado contra el jefe del gobierno, se dejó convencer y dio instrucciones al Consejo del Reino para que se incluyera el nombre del favorito de doña Carmen en la terna que debía presentársele. Está de más apuntar que ni se le pasó por la cabeza pedirle al Príncipe Juan Carlos un candidato.

Sin su rodrigón y anulado por la enfermedad, Franco no es más que una figura poco decorativa en medio de las contradicciones en que se debate su régimen, sacudido por las enemistades de las distintas familias políticas que hasta entonces el ascendiente del Generalísimo había logrado aplacar. Mientras los inmovilistas y los aperturistas miden sus fuerzas intentando encarrilar el nuevo gobierno, Arias Navarro sorprende a la clase política con abundantes promesas de reforma. El «espíritu del 12 de febrero», llamado así por el día en que el jefe del gabinete hiciera su declaración de intenciones aperturistas, se esfumó antes de concluirse el mes de su nacimiento.

Una homilía leída en muchas de las parroquias de Vizcaya con la venia de su obispo Añoveros fue el detonante del enfrentamiento más duro entre la Iglesia y el Estado de toda la historia del régimen. El desmañado sermón —en la línea de otras elaboraciones nacionalistas de la clerecía— pedía una «organización sociopolítica» que garantizase la «justa libertad» del pueblo vasco, identificando interesadamente la salvación cristiana con la liberación étnica

El derrumbamiento del «orden»
franquista acompaña los últimos meses
de vida del dictador, con la primacía de
la acción terrorista en manos de ETA.

mediante un revoltijo de citas pontificias de distinto rango y naturaleza. Toda la oposición, independientemente de su creencia religiosa, vibró con el manifiesto, por lo que tenía de estocada al régimen, pero mucho más con la negativa del prelado a abandonar España, como pretendía el gobierno, y con su amenaza de excomunión a quien utilizase la fuerza contra él. «Me paseé durante varios días con la excomunión de Franco en el bolsillo», alardearía más tarde el cardenal Tarancón, interlocutor del gabinete Arias en tan espinoso asunto. La sangre no llegó al río porque en un momento de lucidez el dictador aconsejó a Arias andar con más tiento en sus relaciones con la Iglesia y le obligó a retractarse. A fin de cuentas, como a su tiempo dijera a Perón, «la Iglesia es eterna y nuestros regímenes son pasajeros».

El 18 de julio de 1974, por vez primera en treinta y cinco años de victoria, Franco no puede presidir la recepción conmemorativa del Alzamiento, ya que sus achaques habían hecho necesario su ingreso en un centro sanitario. La expectación de los españoles alcanzó su punto culminante cuando el Príncipe Juan Carlos fue llamado a ocupar con carácter provisional la jefatura del Estado. En manos de la cuadrilla de El Pardo, Franco se siente curado, después de cuarenta y tres días, y devuelve a Juan Carlos a su embarazosa situación de espera.

Los síntomas de descomposición y desbandada entre los fieles del régimen son alarmantes, mientras los dinosaurios del Movimiento, reciclados en su búnker, malogran sus últimos cartuchos contra el espíritu aperturista que domina en amplios sectores de la sociedad. Un nuevo Estatuto de Asociaciones Políticas, a pesar de encontrar fuerte oposición en las covachas franquistas, era insuficiente para muchos ciudadanos, que ya reclamaban desde variadas riberas la equiparación política de España con la Europa de las libertades.

El derrumbamiento del «orden» franquista acompaña los últimos meses de vida del dictador, con la primacía de la acción terrorista en manos de ETA. En respuesta, el gobierno endureció la represión y ya no hubo indulto para dos activistas etarras y tres del FRAP, a los que se los responsabilizó del asesinato de varios policías. Las ejecuciones de setiembre de 1975 llenaron de estupor e indignación a medio mundo, colocando al franquismo en una situación de aislamiento como no había sufrido desde los años cuarenta. Sin embargo, Franco se mantiene terco y autista en su discurso: «Todo lo que en Europa se ha armado, obedece a una conspiración masónico-izquierdista de la clase política en contubernio con la subversión terrorista-comunista, que si a nosotros nos honra a ellos los envilece.» Cuando el 20 de noviembre por fin se con-

Cuando por fin se consintió morir a Franco, los obispos, encargados de sus funerales por toda España, lo despidieron con variadas emociones.

sintió morir a Franco, los obispos, encargados de sus funerales por toda España, lo despidieron con variadas emociones. Desde la oración fúnebre del de Cuenca, el integrista Guerra Campos, en la que llegó a comparar la larga agonía del dictador con la Pasión de Jesucristo, hasta el helador laconismo del auxiliar de San Sebastián, el vasquista Setién, cuya homilía duró dos minutos, provocando protestas en el templo y alborotos en la calle. El tono mayoritario de los mitrados españoles, no obstante, fue muy elogioso para Franco y casi todos expresaron, como el más que conservador arzobispo de Toledo, su «agradecimiento por el inmenso legado de realidades positivas que nos deja este hombre excepcional».

▶▶ Aunque no ganase nunca la Copa de la FIFA, la España de Franco sí podía codearse con los grandes del fútbol mundial. Por los triunfos de sus principales clubes, por el gol de Marcelino contra la Unión Soviética, por algunas de sus estrellas, generalmente extranjeros nacionalizados y bien pagados, por la función de adormidera que el régimen atribuyó al deporte. La efusividad del saludo de João Havelange, presidente del organismo mundial futbolero, a Carmen Polo de Franco o la generosa sonrisa de la dama simbolizan el éxito de ese ayuntamiento entre política y deporte, siempre al servicio de los Estados actuales.

▲ El Caudillo comparte el timón familiar con su mujer en la cubierta del *Azor*, donde los Franco se reúnen para la foto de verano con quien ha sido proclamado su sucesor y que empieza a ocupar el centro de atención del objetivo. Como si fuera una ofensiva fotogénica, el retablo del régimen se muestra en todo su esplendor veraniego, en el que las bellezas franquistas de segunda y tercera generación rivalizan con la genética endógama de la realeza.

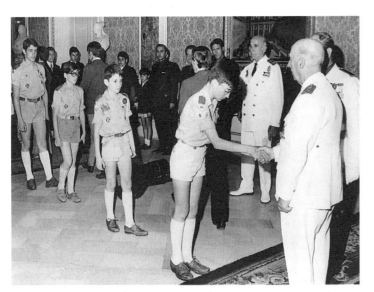

◀ Los jóvenes fueron uno de los fracasos más sonados del franquismo. Ni la Iglesia con sus organizaciones, ni las universidades con su espejismo trepador, ni el encuadramiento en la Organización Juvenil Española (OJE) con sus lavados de cerebro ideológicos, su excursionismo boy-scout o sus fuegos de campamento consiguieron una adhesión que todos los interesados del régimen presentaban como un hecho en sus discursos y consignas. La mayor parte de las generaciones de posguerra, incluidos los vástagos de los vencedores, pronto abandonaron el tren de la dictadura. Muchos de ellos para enrolarse en el bando de los que querían verle descarrilar.

▼ En plena vorágine desarrollista, Franco se rodeó de ministros y ministrables tecnócratas. La muerte de las ideologías proclamada por Gonzalo Fernández de la Mora —con gafas oscuras en la foto— o la sustitución de la democracia por la renta per cápita de López Rodó no convencieron ni al papel en que estaban escritas. Franco siguió inaugurando pantanos hasta sus últimos años, creyendo que era la mejor imagen y el mejor pastel que un Estado hidráulico podía ofrecer a sus pacientes súbditos de secano.

▶▶ Franco cargado con todo el oropel que la ornamentación rococó presta a los uniformes de gala. Imitador empedernido del peor gusto de la aristocracia, el Caudillo reniega en esta imagen de aquella austeridad militar de sus años africanos. El sillón dorado, que parece cobijarle en espera de un inmediato desembarco, compite con el derroche de cintas, lazos, fajines, cruces y cenefas del engolado general. Nunca se negó Franco a revestirse con los peores ornamentos de sus predecesores reales; creyéndose uno de ellos gustó sus palacios, sus apariencias, sus bajo palio y otras exquisitices, buscando enmascarar su condición de plebeyo.

▲ El Caudillo no sólo presidía en San Sebastián los Consejos de Ministros sino también cualquier manifestación de ocio deportivo que se le cruzase. Su yate *Azor* era la mejor butaca para admirar, desde la bahía de la Concha, el espectáculo, insuperable para los donostiarras, de las regatas de traineras. Después del esfuerzo, los brazos de mar son recompensados con la bandera de honor y la cubierta del barco del César que, aficionado a jugar a las quinielas, aventura el ganador sin miedo a equivocarse. Barandillas del alboroto, ojeadores náuticos, setiembres de nostalgia, la corte hace las maletas; sólo queda esperar el ritual de cada año.

▶ Hailé Selassié, emperador cristiano de Etiopía, uno de los pocos jefes de Estado que podía disputarle a Franco el decanato del colectivo. El mundo entero oyó hablar de él por vez primera con motivo de su valerosa resistencia ante las legiones de Mussolini, invasoras de su país, que duró lo que pudieron aguantar las lanzas contra los tanques del fascio. También él era un elegido de Dios, como Franco, y lo manifestó al añadir a sus títulos los apelativos de León de Judá y Rey de Reyes. Cada uno mira su propia estrella que ya se apaga y, de paso, resuelven algunos asuntos de trámite. El Negus había sido iluminado para que presentara a la Organización de la Unidad Africana la propuesta de independencia de Canarias, como territorio aún no liberado de África.

▽ Franco visita el sur, en la puerta grande de Andalucía. El sur del folclore, el aplauso y la sonrisa del señoritismo, el guiño de un pueblo de aceite y tierra, que ganó la guerra y perdió la paz. La España industrial, la de la periferia derrotada, fue al final la vencedora, la que se hizo rica con los brazos, la añoranza y el vacío de los transterrados andaluces. Queda Sevilla, la del visiteo descomprometido y las plegarias nada reivindicativas. Sevilla de la bulla y el azahar, maestranza mestiza, ambigua señora, clavel espuma, nazarena de ruán, rumor de risa y avemaría.

◀◀ Vacía y solemne ceremonia del comienzo de legislatura de unas Cortes unánimes que no legislan pero que se inventaron para canalizar «la participación del pueblo en las tareas del Estado». En 1971, Franco se hace acompañar por su sucesor como queriéndole enseñar el oficio. Quinientos diligencieros del régimen, pastoreados por Alejandro Rodríguez de Valcárcel, presidente del artificio, intentan convencer a los españoles de que viven en una democracia parlamentaria. Paradoja franquista, las Cortes carecían de iniciativa y sólo podían aprobar los proyectos legislativos presentados por el gobierno.

▲ La foto de las mil sonrisas, con motivo del anuncio del compromiso matrimonial de Alfonso de Borbón Dampierre y María del Carmen Martínez-Bordiú Franco. Todos los personajes, incluidos los niños, han atendido la voz del fotógrafo y posan para una posteridad incierta con la mejor de sus expresiones. Los actuales Reyes enrolados en la instantánea que escenificaba una de las maniobras sucesorias. El matrimonio entre una nieta de Franco y un Borbón satisfacía las expectativas de quienes seguían empeñados en convertir el primer apellido en dinastía y el segundo en fiel juramentado de los Principios Fundamentales del Movimiento.

◄ A buen seguro, a Franco le hubiera gustado apadrinar otra boda, la de Juan Carlos y Sofía celebrada en Atenas diez años antes. Pero, motivos de seguridad aparte, los hechos hicieron que tuviera que conformarse con la forzada unión entre un pretendiente Borbón y su nieta favorita. Muchos creyeron que se trataba de un intento de entronizar genes de Franco en la realeza, alcanzando así un *collage* de culebrón que sirviera para garantizar no una sucesión tranquila, sino la incertidumbre en el relevo.

▼ Según algunos, Dalí cometió la mayor de las extravagancias de su vida al declararse franquista. Fue sin duda uno de los casos de adhesión a Franco que más exasperaba al mundo del arte. El pintor de Cadaqués siempre se manifestó fervoroso del Caudillo, ganándose la animadversión de la oposición dentro y fuera de España. Opuesto a biografías republicanas como la de Picasso o a las medias tintas de Miró, el príncipe del surrealismo se dejaba mimar por el régimen y paseaba su estudiada excentricidad por salones y pantallas del NO-DO, poniendo cara de cálculo en pesetas para cada una de sus medidas y empalagosas palabras.

«Este verano te compro un piso o llevarás luto por mí.» El autor de esta frase fue Manuel Benítez *el Cordobés*, quien, como tantos otros muchachos jugándose la vida frente a un toro y acabando con la de cientos de ellos, sacaron a sus familias de la miseria profunda del subdesarrollo y el caciquismo. Chicos que reeditaron para el régimen la España de redondel y pandereta, haciéndose ricos en plena juventud. Veranos sangrientos sucedieron a inviernos de hambre y algunas cornadas mal dadas segaron sueños de otoño, como los de Francisco Rivera, *Paquirri,* que en la foto sonríe de medio lado a un futuro que no será suyo.

Muchos se inclinaron más de la cuenta ante el régimen. Gentes de la cultura, del teatro, del arte o de la danza, que por otras razones eran populares, queridos y rebeldes, no supieron o no quisieron salir airosos de algunos compromisos y tuvieron que escenificar su rendición formal ante el jefe del Estado. El bailarín Antonio, que resume toda una época de claros y sombras en la vida artística española, esboza una mueca en el momento de saludar a Franco y su esposa nada menos que en el trigésimo aniversario del 18 de julio.

El nuncio de la Santa Sede, monseñor Dadaglio, fue el impulsor decidido del giro del episcopado español. Empezó por cesar a los obispos viejos para evitar su control de la Conferencia Episcopal, al tiempo que introducía savia nueva con nombramientos muy mal recibidos en el gobierno. Saltándose el procedimiento habitual y casi por sorpresa, coló al cardenal Tarancón en el arzobispado de Madrid, a la muerte de Morcillo, sin darle tiempo a Franco a ejercer el derecho de presentación que le otorgaba el Concordato pero que Pablo VI le instaba a que renunciase.

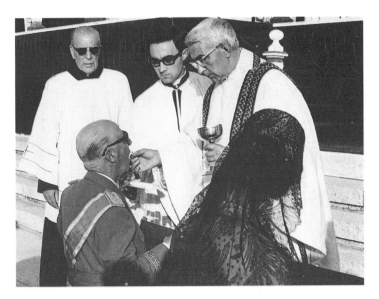

En el bautizo de su primer biznieto, Franco, en fase perceptible de deterioro físico, se hizo una de sus habituales fotos de familia. Cediendo el centro de atención fotográfico al protagonista recién cristianado y a su madre María de Carmen Martínez-Bordiú, el Caudillo aparece con una expresión alelada a punto de salirse de la Historia, rodeado de la camarilla de El Pardo, cuyo juego político pronto se iba a sentir en las bambalinas del poder.

Foto para el álbum de Reagan, que al pasar por Madrid quiso fotografiarse con Franco y con su ministro de Asuntos Exteriores, el elegante López Bravo. No hay conversación, ni apaño, sólo fogonazo y cámara. Los yanquis están muy vistos en El Pardo, y el inglés que empezó a aprender Franco antes del Alzamiento, muy oxidado. El dictador enfermo y conocedor de los puntos flacos de su imagen se sujeta las manos mientras el gobernador de California ensaya sonrisa sobre un tendido imaginario de electores de la Casa Blanca.

▲ Trinidad monjil de alarmante identidad de gesto y fisonomía. En medio de la batalla político-religiosa del franquismo, Franco se solaza con estas buenas mujeres, cargadas de méritos humanitarios pero desprovistas del menor atisbo de conciencia reivindicativa. Educadas para obedecer en toda hora y situación y víctimas de una sociedad machista, las religiosas no acompañaron a los varones consagrados en sus actividades de adoctrinamiento y subversión contra la dictadura. Las otras Evas, las feministas, tampoco se manifestaron en la calle hasta 1976 con los primeros albores de la democracia.

▼ Franco recibe a los hijos de los antiguos dioses. Los príncipes japoneses, herederos del devaluado Hiro-Hito, el último soberano que nació dios y murió hombre, ofician de embajadores del antiguo imperio del sol naciente, siendo recibidos por la pareja española superviviente occidental del ocaso fascista. Visitas de cortesía o viajes políticos de novios que el régimen nunca desaprovechaba para mostrarse en público, codo a codo, con las familias reales o junto a los dignatarios de los países amigos.

▶ Los dictadores hispanoamericanos fueron buenos entusiastas y aliados del régimen. Incluso quienes como el paraguayo Alfredo Stroessner no tenían ninguna significación en el orden mundial de la época. El gobierno español, por su parte, agradeció siempre cualquier muestra de apoyo internacional que viniera a compensar la desagradable soledad de una de las últimas dictaduras de la Europa occidental. El collar de la orden de Isabel la Católica, que se concede el día de la Hispanidad, acompañaba a estos tiranos, indefectiblemente, en su viaje de vuelta. Franco imponía él mismo la pesada condecoración, pero en los años finales debía ser ayudado por alguno de sus acompañantes, como en esta ocasión, en que lo hace Fuertes de Villavicencio.

▲ El almirante Carrero Blanco vio recompensados tantos años a la sombra del jefe con un efímero nombramiento como presidente del gobierno en 1973. Previamente, sus desvelos y buena asesoría habían sido premiados con una vicepresidencia que amenazaba ser eterna. Sólo muy a finales de su largo caudillaje y con una salud ya en total quebranto, Franco consintió en delegar alguna de las altas funciones que él mismo se había encomendado. Para ello nada peor que escoger la persona más parecida a su intransigencia e impermeabilidad de los primeros años. Todo empezaba a quedar atado... salvo por la bomba que el 20 de diciembre de aquel año acabó con el mejor consejero de la dictadura.

▼ Comitiva protocolaria, cargada de medallas y circunstancias. Desde su designación como sucesor de Franco pero de forma especial en los últimos años, la persona de Juan Carlos y su mujer estuvieron cada vez más asociadas físicamente al protocolo oficial de la dictadura. A medida que el declive biológico de Franco se ponía en evidencia y sus ministros tenían enfrentamientos frecuentes o los gabinetes entraban en crisis, la actitud posible del futuro jefe del Estado constituía una de las incógnitas mejor guardadas del régimen. Rechazado por la oposición, temido por los franquistas sin Franco, el futuro Rey era una especulación entre bastidores, una permanente figura de segunda fila de la que muy pocos esperaban una salida airosa.

◀ El otoño del patriarca vino acompañado de peleas con la Iglesia que le producían desconcierto como católico militante. Con todo, nunca se le ocurrió al Caudillo devolver al Vaticano el privilegio de intervenir en el nombramiento de obispos, donde tuvo lugar la batalla campal del franquismo valetudinario. Una derrota del episcopado conservador y, consiguientemente, del régimen fue la provisión del arzobispado de Santiago que, después de intrigas y empujones, recayó en el moderado Ángel Suquía, reconvertido más tarde a los nuevos viejos tiempos de Juan Pablo II y premiado con la mitra madrileña y la púrpura.

▶ Franco llora en público dando el pésame a la viuda de Carrero Blanco en los funerales del que había sido su primer presidente de gobierno en el gabinete y su verdadero *alter ego*. Poco acostumbrado a debilidades públicas de este calibre, además de las malas pasadas de una avanzada edad, en el ánimo del jefe del Estado pesaba, sin duda, la desaparición de quien estaba llamado a continuar el franquismo sin Franco. Las lágrimas del dictador serán el mejor notario de la muerte política de un futuro que muchos sentían como sueño y otros como pesadilla. Mientras, la viuda de Carrero se inclina aferrándose todavía a la mano, a la que el Parkinson pedía cuentas irremediablemente.

▲ El Estado asistencial del Caudillo se remoza con enormes centros sanitarios que dejan para el desván al médico de pueblo, al omnisciente galeno de la cabecera de la cama, y a los viejos hospitales, regidos por Juntas de Caridad compuestas de notables y rigurosas damas de la estricta confianza del régimen. A partir de la nueva Seguridad Social, un número creciente de españoles reclamará mayor atención médica, haciéndose necesaria la construcción de hospitales en las grandes ciudades y el concurso de especialistas, muchos de ellos formados en el extranjero. El 1 de octubre, fecha inolvidable del santoral franquista, da nombre a la ciudad sanitaria que Franco inaugura en Madrid después de entrever las explicaciones del ministro Licinio de la Fuente.

◄ No obstante sus enfrentamientos con la Iglesia, Franco no rehúye la fotografía episcopal, previa conformidad de Oriol, su ministro de Justicia. A trancas y barrancas, van cubriéndose los vacíos que la biología y el dedo renovador del nuncio Dadaglio continúan provocando, aunque los destinos de los prelados no satisfacen a las autoridades del régimen. Unos por exceso de promoción, otros por defecto. A la izquierda del dictador, el inteligente Guerra Campos fue uno de los damnificados de la ventolera aperturista de la Iglesia. Responsable oficial de la programación religiosa de TVE, en contra de más altas instancias, pagó de por vida su fidelidad al franquismo comatoso con una diócesis oscura y poco deseada.

▼ La desmesurada carcajada del presidente del gobierno Arias Navarro rompe la frialdad y el luto que los salones de El Pardo guardaban desde la desaparición de su antecesor Luis Carrero Blanco. El nuevo primer ministro acaba de jurar su cargo ante el jefe del Estado y es felicitado por Carmen, que había sido una de sus mejores avalistas ante un dubitativo Franco, con el que, sin embargo, tenía mucho camino adelantado por sus habituales partidas de cartas en El Pardo. La designación de Arias llamó la atención entre los analistas de la época. No había sido el más competente en su cargo de ministro de Gobernación en el momento del atentado que fulminó al almirante y tampoco parecía el más adecuado para una sustitución de tal envergadura, que dejaba fuera de combate a otros candidatos más prometedores.

▲ Los adversarios de Franco siempre le acusaron de pretender imitar el boato de la realeza. Lo cierto es que una vez pasadas las obligadas restricciones de guerra gustaba de ocupar despachos y aposentos no exentos de magnificencia y esplendor. La foto, con la técnica de ojo de pez, contribuye a mostrar un Franco por una vez empequeñecido en un despacho regio donde se combinan espléndidamente alfombras, murales, lámparas, tapices y mobiliario. Aunque le faltó la corona que otros dictadores vistieron, siempre estuvo rodeado del mayor lujo posible, con el que parecía colmar las frustraciones de su origen social, satisfacer un ego difícil de corregir y abrumar a quienes le odiaban.

La bomba que se llevó a Carrero Blanco dejó sin trabajo a sus ministros. Ninguna personalidad del grupo de los tecnócratas del Opus Dei, que desde años atrás ocupaban sillón ministerial, tenía sitio en el gobierno, constituido por Arias en enero de 1974, sin tomarse la molestia de consultar con el Príncipe sucesor. También faltaban en la lista los que hasta ese momento habían sido considerados los pensadores oficiales del régimen: Fernández Miranda y Fernández de la Mora. Once nuevos ministros, en buena parte desconocidos para la inmensa mayoría de los españoles, y dos que cambiaban de departamento suponían un giro muy brusco que, en un principio, desconcertó a la opinión pública. Luego se vio que era un cajón de sastre de reaccionarios y aperturistas, duros y blandos que se pelearían en la recámara del franquismo.

Puesta en escena de la recuperación de Franco. En el verano de 1974, el dictador tuvo una anticipación de su próximo final. Fueron unas semanas en la clínica, donde tras delegar los poderes en el Príncipe Juan Carlos, a la primera bajada de fiebre se apresuró a recuperar la Jefatura del Estado cuando muchos se las prometían más felices. Por unos días, el gobierno se dilucidó entre batas blancas, quirófanos y olor a éter, coincidiendo con las visitas-despacho del presidente del ejecutivo. Entre sonrisas cordiales, felicitaciones y fotos para la tranquilidad de la opinión y los inversores, el dictador en bata reanudaba su régimen sobre la austera mesa de mando, con decepción de muchos y el bochorno de los consejeros borbónicos.

Los funerales anuales de Alfonso XIII, cuyo cadáver espera paciente en Roma, llegaron a convertirse en el bautizo de la monarquía franquista. La ausencia de monárquicos de toda la vida era superada sobradamente con la presencia de quienes de verdad interesaban al régimen. En primer plano, una instantánea lateral de Alfonso de Borbón, duque de Cádiz, y al fondo, semitapado por el palio de la dictadura, como siempre estuvo, apenas puede verse al Príncipe heredero, relegado del puesto principal en un protocolo desmadejado.

Desde su toma de posesión como presidente del gobierno, Arias Navarro tanteó un primer período de pretransición en vida del propio dictador. La necesidad de acoplar las leyes a la realidad, el deseo de controlar una sucesión imprevisible o el anuncio de orquestar los contrastes de pareceres, antes de que se convirtieran en excesivo contraste, llevaron a Arias a tolerar una serie de agrupaciones o asociaciones tan condicionadas que nunca llegaron a seducir a la opinión. No obstante, algunos que, como Fraga o Adolfo Suárez —leyendo en la foto—, tomaban posiciones para el estallido político aceptaron el posibilismo del régimen y se camuflaron como grupos de opinión y fundaciones culturales, desde las que dieron luego el último empujón al franquismo matricio. Franco, que apenas se tiene en pie, asiste, sin sospecharlo, a la lectura del acta de defunción de su régimen.

Estados Unidos estaba tan preocupado o más que muchos españoles por el futuro del flanco suroccidental de la OTAN. Las alianzas de 1953, renovadas cada diez años sin apenas complicaciones, podían verse comprometidas por una sucesión tumultuosa del caducado general. La visita del presidente Ford en los últimos meses de vida de Franco y las repeticiones de Kissinger prueban un deseo de acercamiento directo a la realidad española. Los intereses yanquis corrían riesgos si se producía un contagio de la revolución de los claveles portuguesa. Expertos en derrocar democracias y sostener dictadores, a la altura de 1975 los mandatarios norteamericanos no sabían muy bien cómo proceder en el futuro español posfranquista.

▲ La demostración sindical que el régimen ponía en pie cada primero de mayo era otro de los lugares ineludibles de aparición del dictador. Los trabajadores españoles, decía la ineficaz propaganda del franquismo, celebraban, con el primero de ellos, no la Fiesta del Trabajo, sino la reanudación de la victoria. Con la instauración de la festividad religiosa de San José Obrero el franquismo maquilló el contenido reivindicativo de la jornada. Desde entonces, cada primero de mayo Franco cumplía con el ritual laboral y se despojaba de su casaca militar, retomando el terno civil para saludar desde la tribuna del Bernabéu a las multitudes congregadas. Una sarta de volatines, carreritas, chicas con aros y pelotas, amén de los consabidos desfiles y proclamaciones de premios a los franquistas laboriosos, aburrían las pesadas tardes de aquellos fraudulentos días del Trabajo. Mientras tanto, en los años finales del régimen, los opositores hacían gimnasia ese día en la calle, corriendo delante de los «grises».

▲ Funerales de alto rango por Fernando Herrero Tejedor, que había sido nombrado secretario general del Movimiento en el reajuste ministerial de marzo de 1975 que siguió a la dimisión del ministro de Trabajo. Era la segunda minicrisis del gabinete Arias en tan sólo tres meses, que revelaba una situación crispada y sin coordinación posible tras la muerte de Carrero. El jefe de la fiscalía del Tribunal Supremo, de tendencia moderada y coqueteos con el Opus Dei, sustituía al ultra Utrera Molina, opuesto al proceso preaperturista del presidente. Funcionario para todo, al final Herrero Tejedor se había convertido en la esperanza blanca del posibilismo de Arias hasta que un accidente automovilístico acabó con su prometedor presente.

▼ Franco preside su última final. La Copa del Generalísimo es entregada por el jefe del Estado en su postrer intervención futbolística. Una ceremonia oficial que el dictador nunca se perdió, no sólo por su afición personal a este deporte sino por su conciencia sobre la importante función política que realiza. El espectáculo deportivo por excelencia del siglo xx triunfa de forma aplastante en Europa e Iberoamérica, siendo seguido en todo el mundo. Para la España de Franco, el binomio «pan y fútbol» será el sustituto del anterior «pan y toros» con el que se consolarán algunas miserias de la vida cotidiana. Y el Real Madrid, cuyo capitán Amancio recibe el trofeo, fue el providencial eje de esta sustitución.

El hilo de vida que mantiene a Franco es aprovechado por Fernando Fuertes de Villavicencio, el jefe de su Casa Civil, para desarrollar la agenda prevista de inauguraciones con motivo del 18 de julio. Estación de contenedores de Renfe, nudos de carreteras y kilómetros de autopista en torno a la capital de España componen el menú ofrecido por los ingenieros de caminos y obras públicas aquel verano de 1975. Los gestores del desarrollo acompañan al dictador sin quitarle protagonismo.

Merienda conmemorativa del Alzamiento en los jardines de La Granja con el gobierno y el cuerpo diplomático con la boca llena. Frescor de tarde segoviana, una Princesa cariñosa coge por el brazo a un dictador insostenible ante la sonrisa siempre franca de doña Carmen y el gesto cariacontecido del Borbón. Faltan cuatro meses para el relevo, pero España ensaya el cambio de guardia y damas mientras Arias Navarro, el cancerbero, no quita ojo a los movimientos de la cabecera de la comitiva.

Actitud piadosa y arrobada de doña Carmen, que eleva a los cielos el misticismo del matrimonio Franco al tiempo que la decadencia biológica se hace visible de forma cruel en la expresión extrema de un Franco terminal. Ni siquiera la intercesión del apóstol Santiago que «la Señora» con tanta vehemencia suplica sería suficiente para librar al régimen de la losa que espera en el Valle de los Caídos. Más disipados, militares y canónigos completan el retablo de una España nacionalcatólica extinguida.

Franco y su mujer descansan en el *Azor*, durante el último verano de la pareja. Pedro Nieto Antúnez, viejo amigo y ministro de Marina, rinde visita obligada. El dictador recorre el Cantábrico en el yate más seguro y vigilado de Europa. Desde su barandilla puede ver por última vez las playas que conquistara hace tantos años y desde donde se hizo agasajar y celebrar. Los distintos pueblos, las autoridades, las fuerzas vivas del régimen compiten incansables por una visita, un saludo, una palabra del jefe del Estado. Pero Franco, con un rictus enfermizo que contrasta con la viveza de la eterna sonrisa de su mujer, apenas es un esbozo físico del temido personaje que está a punto de cerrar cuarenta olvidables años.

▲ La plaza de Oriente, milla de oro de las concentraciones franquistas, sirvió también para la última de ellas. Tras los fusilamientos de setiembre de 1975 y los actos de repulsa y protesta en el resto del mundo, el régimen se encontraba acorralado como en los peores tiempos del 47. De nuevo el recurso a la castigada plaza de Oriente hizo posible que se oyeran las fosilizadas consignas, los antiguos arribas, y de paso contribuyó a que el Caudillo se enfriara lo suficiente hasta enfermar de modo concluyente. Una asistencia, con mayoría de edad, llegados a Madrid en cientos de autobuses, iracundos rostros, uniformes desempolvados, camisas azules y corbatas negras fueron el estertor político de una España insostenible.

▲ Los sintecho marroquíes se dirigen a la conquista del Sahara. La Marcha verde, auspiciada por el rey Hassan como expedición de desposeídos en busca del paraíso perdido, conturbó los últimos días de la presencia española en el África occidental. Aprovechando la agonía de Franco y la desorientación política de un gobierno no acostumbrado a gobernar, el monarca marroquí lanzó un pulso sobre el último reducto español por descolonizar, que Madrid había prometido devolver algún día a su verdadero dueño, el pueblo saharaui. Unas trescientas mil personas fueron movilizadas por Rabat frente a las tropas de legionarios y ejército regular. Cuando la situación amenazaba degenerar en un enfrentamiento armado, la presión dio como resultado el Pacto de Madrid por el cual España entregaba el territorio a Marruecos y Mauritania. El dictador, en su lecho de muerte, tal vez no llegó a enterarse del todo de este último acto del sueño imperial de los africanistas.

Un Arias Navarro compungido, tembloroso y lloriqueando fue el peor encargado de anunciar al pueblo español la muerte del dictador. Mientras el presidente del gobierno se atragantaba en la pequeña pantalla, muchos celebraban el final de una larga agonía, algunos hacían las maletas y otros se preguntaban sobre los próximos días. El hombre que quiso parecer eterno, el general que acuarteló a todo un pueblo, el vencedor de los días implacables, el político del «atado y bien atado» acababa de morir, como todos, sin salirse del guión humano. Detrás dejaba una construcción mucho más débil de lo que suponíamos, un montón de seguidores que cambiaron el paso en la primera esquina, un entorno familiar político que pronto se desmoronaba y casi medio siglo de vida de España que los historiadores se iban a encargar de condenar.

Todos los periódicos publicaron en primera página y sin compañía posible la noticia de la muerte de Franco. Las redacciones habían permanecido en vigilia durante un largo mes, esperando la inevitable llegada del último comunicado del «equipo médico habitual». Finalmente, un 20 de noviembre, coincidiendo con el aniversario del fusilamiento de José Antonio, los médicos desengancharon la vida artificial a la que estaba sometido el dictador y dejaron expirar a la poca naturaleza que le quedaba. Franco había muerto, el franquismo duraría poco más.

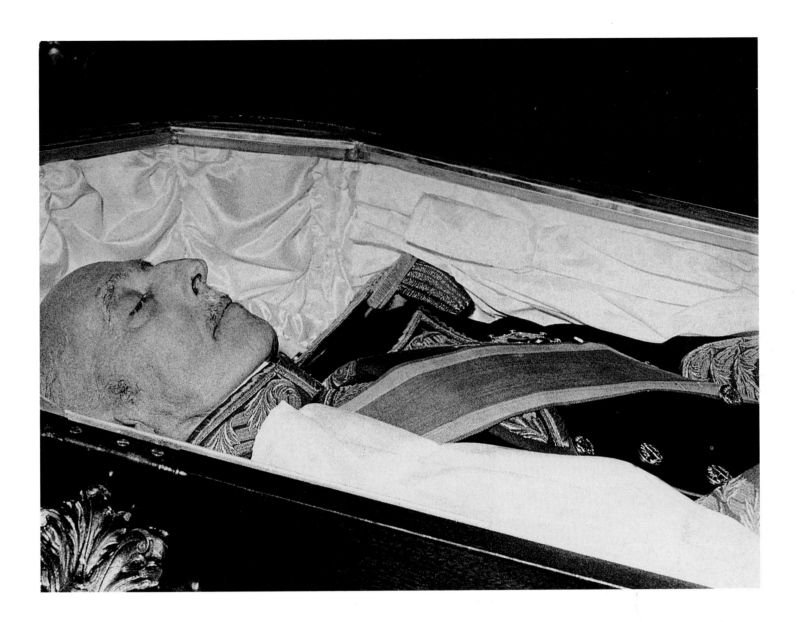

Franco, embalsamado para ser expuesto al pueblo de Madrid. Último rictus del general más allá de la muerte. Dudoso honor que la suerte reserva para los más grandes o los más desgraciados. Cientos de miles de súbditos desfilaron durante todo un día para contemplar la veracidad de una muerte que a más de uno dejó huérfano. Ministros y banqueros, guardaespaldas y franco-falangistas, amas de casa y empleados, gente del pueblo y del poder... como un desfile de zarzuela. Toda una extraña corte de los milagros que el morbo de los famosos concita y excita entre la anónima ciudadanía. Nadie quería perderse a Franco por última vez, cuando ya era inofensivo.

En pleno esplendor tiránico, el general Pinochet fue uno de los poquísimos jefes de Estado que asistió a los funerales de Franco. Admirador absoluto, hasta el último rito, de la dictadura española, el militar chileno fue agasajado con honores máximos y recibido por el sucesor del Caudillo, un Juan Carlos de mirada desorientada y con el complejo del régimen anterior a cuestas, sin saber todavía cómo sacudirse el pegajoso sabor del protocolo que le ataba a personajes tan poco recomendables.

La viuda de Franco se niega a cubrir sus ojos con piadosas gafas oscuras, como hace su nieta Carmen, dejando al descubierto las huellas inmisericordes de una larga agonía vivida a pie de lecho y conspiración. Gesto de dolor y trasfondo de impotencia en Carmen Polo, serenidad y resignación en la duquesa de Cádiz, ambas eran la representación menos viva de una época que luchaba inútilmente por una supervivencia imposible. El tiempo y la Historia no darían opción a la familia del dictador, la llamada «camarilla de El Pardo», que veía cómo se escapaba por el humo de los funerales aquella España que había sido una finca para ellos.

No fueron sólo los funerales de Franco, sino el final de una forma de gobierno despótico, de una época y una generación. Días de champán y lágrimas, la solemnidad de cartón piedra se vio desdibujada por la ausencia de representantes internacionales de fuste. Después de los fusilamientos de setiembre de 1975, España había vuelto a los peores años del aislamiento. Protestas, amenazas, retirada de embajadores. La desaparición del dictador fue un alivio para una España irrespirable que necesitaba repensar tantas cosas. Las horas y los días de duelo y suspiro fueron buena ocasión para el retiro de los antiguos fantasmas y la puesta en marcha de los nuevos planes.

Tras la desaparición del general Franco y el consenso constitucional de 1978, con la aceptación de la Corona en su papel conciliador y arbitral, se extendió la costumbre de borrar o relegar los símbolos públicos que durante cuarenta años habían servido de división y enfrentamiento entre españoles. Uno de ellos fue el recuerdo de generales, batallas o victorias reflejado en el nombre de numerosas calles. Otro fue el de placas, recordatorios o esculturas como la de la foto. Un Franco ecuestre, símbolo de la victoria de una parte de España sobre la otra, preside todavía una plaza pública del pueblo natal del Caudillo, la localidad gallega desde la que partió una ambición personal que terminó convirtiéndose en toda la Historia de España.

Bibliografía

AA. VV., *La España ausente*, Ediciones 99, Madrid, 1973.

AA. VV., «La época de Franco (1939-75)», tomo XLI de la *Historia de España* de Menéndez Pidal, Editorial Espasa Calpe, Madrid, 1996.

Abella, Rafael, *La vida cotidiana en España bajo el régimen de Franco*, Editorial Argos Vergara, Barcelona, 1985.

Bachoud, Andrée, *Franco o el triunfo de un hombre corriente*, Editorial Juventud, Barcelona, 1998.

Ballbé, Manuel, *Orden público y militarismo en la España constitucional (1812-1983)*, prólogo de Eduardo García de Enterría, Alianza Editorial, Madrid, 1983.

Baon, Rogelio, *La cara humana de un Caudillo*, Editorial San Martín, Madrid, 1975.

Ben-Amí, Shlomo, *La revolución desde arriba: España 1936-1979*, Ediciones Ríopiedras, Barcelona, 1980.

Blanco Escolá, Carlos, *La incompetencia militar de Franco*, Alianza Editorial, Madrid, 2000.

Botti, Alfonso, *Cielo y dinero: el nacionalcatolicismo en España (1881-1975)*, Alianza Editorial, Madrid, 1992.

Carr, Raymond, y Juan Pablo Fusi, *España, de la dictadura a la democracia*, Editorial Planeta, Barcelona, 1979.

Carrascal, José María, *Franco 25 años después*, Editorial Espasa Calpe, Madrid, 2000.

Chamorro, Eduardo, *Francisco Franco*, Editorial Plaza & Janés, Barcelona, 1998.

Cierva, Ricardo de la, *Historia del franquismo*, Barcelona, 1975-1978, 2 vols.

Crozier, Brian, *Franco, historia y biografía*, Editorial Magisterio Español, Madrid, 1967, 2 vols.

Díaz-Plaja, Fernando, *Anecdotario de la España franquista*, Editorial Plaza & Janés, Barcelona, 1997.

Fernández, Carlos, *El general Franco*, Editorial Argos Vergara, Barcelona, 1983.

Fernández, Julio L., *Los enigmas del Caudillo*, Nuer Ediciones, Madrid, 1992.

Fernández Vargas, Valentina, *La resistencia interior en la España de Franco*, Ediciones Istmo, Madrid, 1981.

Fusi, Juan Pablo, *Franco*, Ediciones El País, Madrid, 1985.

—, «Para escribir la biografía de Franco», en *Claves*, núm. 27, 1992.

Gironella, José María, y Rafael Borràs Betriu, *100 españoles y Franco*, Editorial Planeta, Barcelona, 1979.

Heine, Hartmut, *La oposición política al franquismo*, Editorial Crítica, Barcelona, 1983.

Hermet, Guy, *Los católicos en la España franquista*, Centro de Investigaciones Sociológicas, Madrid, 1985-1986, 2 vols.

Hills, George, *Franco*, Librería Editorial San Martín, Madrid, 1968.

Juliá, Santos, «Franco: la última diferencia española», en *Claves*, núm. 27, 1992.

Lannon, Frances, *Privilegio, persecución y profecía. La Iglesia Católica en España. 1875-1975*, Alianza Editorial, Madrid, 1987.

Mérida, María, *Testigos de Franco*, Editorial Plaza & Janés, Barcelona, 1977.

Miguel, Amando de, *Historia del franquismo*, vol. 1: «Franco, Franco, Franco», Ediciones 99, Madrid, 1976.

Muniesa, Bernat, *Dictadura y monarquía en España*, Editorial Ariel, Barcelona, 1996.

Nourry, Philippe, *Francisco Franco: La conquista del poder*, Ediciones Júcar, Gijón, 1976.

Palacios, Jesús, *La España totalitaria*, Editorial Planeta, Barcelona, 1999.

Payne, Stanley G., *Franco*, Editorial Espasa Calpe, Madrid, 1992.

—, *El régimen de Franco (1936-1975)*, Alianza Editorial, Madrid, 1987.

Pérez Picazo, M.ª Teresa, *Historia de España del siglo xx*, Editorial Crítica, Barcelona, 1996.

Preston, Paul, *Franco*, Editorial Grijalbo, Barcelona, 1994.

Ramírez, Luis, *Franco*, Editorial Ruedo Ibérico, Francia, 1976.

Ramírez, Manuel, *España. 1939-1975*, Editorial Labor, Barcelona, 1978.

Reig Tapia, Alberto, *Franco «Caudillo»: mito y realidad*, Editorial Tecnos, Madrid, 1995.

Rodríguez Jiménez, José Luis, *Historia de Falange Española de las Jons*, Alianza Editorial, Madrid, 2000.

Saña, Heleno, *El franquismo sin mitos*, Ediciones Grijalbo, Barcelona, 1981.

Southworth, Herbert R., *El lavado de cerebro de Francisco Franco*, Editorial Crítica, Barcelona, 2000.

Suárez Fernández, L., *Francisco Franco y su tiempo*, Fundación Nacional Francisco Franco, Madrid, 1984, 8 vols.

—, y otros, *Franco y su época*, Editorial Actas, Madrid, 1993.

Sueiro, Daniel, y Bernardo Díaz Nosty, *Historia del franquismo*, Ediciones Sedmay, Madrid, 1977, 4 vols.

Terrón Montero, Javier, *La prensa de España durante el régimen de Franco*, Centro de Investigaciones Sociológicas, Madrid, 1981.

Toquero, José María, *Franco y Don Juan*, Editorial Plaza & Janés, Barcelona, 1989.

Tusell, Javier, *Franco en la guerra civil*, Tusquets Editores, Barcelona, 1992.

—, Franco, *España y la II Guerra Mundial*, Ediciones Temas de Hoy, Madrid, 1995.

Vázquez Montalbán, Manuel, *Autobiografía del general Franco*, Editorial Planeta, Barcelona, 1992.

Vilallonga, José Luis de, *Franco y el Rey*, Editorial Plaza & Janés, Barcelona, 1998.